सरल गणित

बीजगणित

सरल गणित

बीजगणित

प्रो. किशोरचन्द्र जायसवाल

बकुल प्रकाशन

ISBN : 978-81-906420-7-1

बकुल प्रकाशन
सी-4/एस-2, ईस्ट ज्योति नगर, दुर्गापुरी चौक
शाहदरा, दिल्ली-110093
द्वारा प्रकाशित
संस्करण : 2011

मूल्य : 200.00

शिवशक्ति ऑफसेट, शाहदरा, दिल्ली-110032
द्वारा मुद्रित

बकुल प्रकाशन, वाणी प्रकाशन की सहयोगी संस्था

प्राक्कथन

दिन पर दिन गणित के क्षेत्र का विस्तार होता जा रहा है। एक समय था जब गणित को अंकगणित का समानार्थी माना जाता था। उस समय तक हमारे पूर्वजों को गणित के नाम पर गिनती और पहाड़े ही आते थे। संसार के प्रायः सभी देशों में गणित का आरंभ अंकों और गिनती से ही हुआ। यही गिनती कुछ समय पश्चात् अंकगणित में परिणत हो गई। दीर्घ काल बीतने पर गणित के वृक्ष में से कई अन्य शाखाएँ फूट निकलीं—बीजगणित, रेखागणित, त्रिकोणमिति आदि।

ज्योतिष का आरंभ इस प्रकार नहीं हुआ। इस विद्या की आदि काल से ही एक प्रायः स्वतंत्र सत्ता रही है। सबसे पहले पहल हमारे पूर्वजों ने तारों का अवलोकन करना आरंभ किया होगा। तत्पश्चात् उनके विषय में अटकलें लगाई होंगी। इस प्रकार जब से संसार में मनुष्य मात्र का आविर्भाव हुआ, तभी से ज्योतिष्क कार्यों (Bodies) का अवलोकन आरंभ हो गया था। इतना निश्चय है कि गणित-ज्योतिष का विज्ञान के रूप में विकास तभी हो पाया होगा जब मनुष्य जाति परिकलन (Calculation) में काफी आगे बढ़ चुकी होगी। भारतवर्ष की तो यह परंपरा है कि ज्योतिष गणित का अंग नहीं रहा, इसके विपरीत गणित ज्योतिष का अंग रहा है। या यों कहिए कि ज्योतिष्क परिकलनों में गणित एक परिचारक का कार्य करता था।

एक समय था जब बहुत से मनुष्य संसार के समस्त उपार्जित ज्ञान को कण्ठस्थ कर लिया करते थे। एक समय आजकल का है कि किसी भी व्यक्ति के लिए विद्या की किसी एक शाखा का भी संपूर्ण ज्ञान प्राप्त कर लेना नितांत असंभव है। प्रत्येक विषय में से दिन पर दिन नई-नई शाखाएँ फूटती जाती हैं और भिन्न-भिन्न शाखाएँ एक-दूसरे से दूर हटती जाती हैं। एक विद्वान् ने आधुनिक गवेषणा की परिभाषा इस प्रकार दी है—''किसी विषय का गवेषणा कार्य आज वह ज्ञान है जो उक्त विषय के विशेषज्ञों को छोड़ कर और किसी की भी समझ में न आए।''

इस पुस्तक में केवल उन्हीं तथ्यों का समावेश किया है जिनकी सत्यता हमारे विचार में प्रायः असंदिग्ध रूप में प्रमाणित हो चुकी है। लगभग पंद्रह वर्ष हुए काशी हिंदू विश्वविद्यालय में गोवर्धन पीठ के अधीश स्वामी शंकराचार्य जी पधारे थे। वह गणित के विद्वान् थे। उन्होंने गणितीय विषयों पर कई व्याख्यान दिए थे। इन पंक्तियों के लेखक को व्यक्तिगत रूप से भी कई बार उनके चरणों में बैठने का सुअवसर मिला था। उन्होंने अपने व्याख्यानों और व्यक्तिगत वार्ता में कई

गणितीय सूत्र दिए थे जो इस प्रकार हैं–

(1) निखिलं नवतः चरमं दशतः; (2) शून्य साम्य समुच्चये; (3) चलित कलित वर्गो विवेचकः।

प्रथम दो पंक्तियों से तो उन्होंने अंकगणित और बीजगणित के कई नियम निकाल कर दिखाए थे। तीसरी पंक्ति का आधुनिक भाषा में यह अर्थ होगा–

$(\text{Differential Coefficient})^2 = \text{Discriminant}$

अर्थात (अवकल गुणांक)^2 = विवेचक।

अब तनिक इस बीजगणितीय वर्ग समीकरण पर विचार कीजिए–

$\text{कय}^2 + \text{खय} + \text{ग} = 0$

उपरिलिखित सूत्र का बीजगणितीय रूपान्तर यह होगा–

$(2\ \text{कय} + \text{ख})^2 = \text{ख}^2 - 4\ \text{क ग},$

$$\text{अर्थात् य} = \frac{1}{2\text{क}}\left[-\text{ख} \pm \sqrt{\text{ख}^2 - 4\text{कग}}\right]$$

यही वर्ग समीकरण के हल का आधुनिक रूप है। इस प्रसर (Process) से स्पष्ट है कि उपरिलिखित सूत्र में वर्ग समीकरण का हल, अवकलन गणित (Differential) की विधि से निकालने का संकेत किया गया है। स्वामीजी ने इन सूत्रों का यह अभिदेश दिया था : अथर्व वेद–परिशिष्ट 1। मुझे अथर्ववेद के जितने भी संस्करण काशी के पुस्तकालयों में मिल सके, मैंने सब छान मारे। मुझे उपरिलिखित सूत्र कहीं नहीं मिले। मैंने शंकराचार्य जी को इस विषय में तीन पत्र लिखे। मुझे कोई उत्तर नहीं मिला। तत्पश्चात् मैं वेदों के उद्‌भट विद्वानों से मिला जैसे पं. गिरिधर शर्मा चतुर्वेदी और पंचगंगा घाट, काशी, के पं. रामचन्द्र भट्ट। उन्होंने बताया कि उपरिलिखित सूत्रों की भाषा ही वैदिक संस्कृत से मेल नहीं खाती। अतः यह वैदिक सूत्र हो ही नहीं सकते। इसके अतिरिक्त वेदों में कहीं गणितीय विषयों का उल्लेख है ही नहीं। इसी दौड़ धूप में मेरे हाथ निम्नलिखित पुस्तक लगी।

पाठको गणित के सभी अंगों का परिचय सांगोयांग कर सकें पुस्तकें बोझिल भी न हों, इस को दायरे में रखते हुए अंकगणित, बीजगणित, ज्यामिति प्रिज्ममिति कलन और फलन सिद्धांत, और सबसे महत्वपूर्ण हिन्दी में पहली बार गणित चित्रावली को प्रकाशित किया गया है उम्मीद है पाठक पसंद करेंगे।

मैंने यह ग्रंथ अपने मित्र डॉ. वासुदेव शरण अग्रवाल को दिखाया। उन्होंने उसे देखकर कहा कि उक्त पुस्तक में भी कहीं किसी गणितीय विषय का उल्लेख नहीं है।

–ब्रज मोहन

बीजगणित

(१) बीजगणित का नाम और प्रकृति

बीजगणित से साधारणतः तात्पर्य उस विज्ञान से होता है जिसमें अंकों को अक्षरों द्वारा निरूपित किया जाता है। इस विषय में क्रियाओं के चिह्न

$$+ \quad - \quad \times \quad \div \quad = \quad > \quad <$$

तो वे ही रहते हैं जो अंकगणित में, केवल अंकों के स्थान पर अक्षर क, ख, ग,. . .य, र, ल,. . . . .लिखे जाते हैं। मान लीजिए कि हमें यह लिखना है कि किसी त्रिभुज का क्षेत्रफल उसके आधार और उच्चत्व के गुणनफल का आधा होता है। तो हम इस तथ्य को इस प्रकार व्यक्त करेंगे :

$$\text{क्ष} = \frac{1}{2}\, \text{अ. उ}$$

अब तनिक इस **समीकरण** पर विचार कीजिए—

$$\text{य}^{२} - ७\ \text{य} + १२ = ०.$$

इस समीकरण का यह अर्थ है कि 'य एक ऐसी राशि है कि यदि उसके वर्ग में से उसका सात गुना घटा कर १२ जोड़ दें तो फल शून्य हो जाता है।

बीजगणित में केवल समीकरणों का ही समावेश नहीं होता। उस में इन सब प्रकरणों का अध्ययन किया जाता है:—

बहुपद, श्रेणियाँ, सतत भिन्न, अनन्त गुणनफल, संख्या अनुक्रम, रूप, सारणिक, **श्रेणिक** (Matrix)।

अब तो अक्षरों द्वारा केवल संख्याओं का ही निरूपण नहीं होता। **स्थैतिकी** (Statics) में इनके द्वारा बल निरूपित किये जाते हैं और **गतिविज्ञान** (Dynamics) में **वेग** (Velocity), **ऊर्जा** (Energy) आदि। आधुनिक समय में बीजगणित का क्षेत्र और उपयोग बहुत बढ़ गया है। अब तो यह गणित की बहुत सी शाखाओं में प्रयुक्त होने लगा है जैसे **कलन**, त्रिकोणमिति और **फलन सिद्धान्त** (Theory of Functions)। किन्तु अब भी बीजगणित का एक मुख्य विषय समीकरणों का साधन ही है। बीजगणित का आधारभूत प्रमेय यह है—

प्रत्येक समीकरण का एक मूल अवश्य ही होता है।

बीजगणित के आधुनिक संकेतवाद का विकास तो पिछली तीन चार शताब्दियों के अन्दर ही हुआ है, किन्तु समीकरणों के साधन की समस्या बहुत पुरानी है। पूर्व ऐतिहासिक काल से हमारे पूर्वज इस समस्या का मौखिक रूप से अध्ययन करते आये हैं। सन् २००० ई० पू० के आस-पास तो वे लोग अटकल से समीकरणों का हल निकालने भी लगे थे। ३०० ई० पू० के लगभग हमारे पूर्वज समीकरणों को शब्दों में लिखने लगे थे और ज्यामितीय आकृतियों की सहायता से उनके हल भी निकाल लेते थे। समीकरणों को संकेतों द्वारा व्यक्त करने की परिपाटी ३०० ई० के लगभग आरम्भ हुई। सोलहवीं शताब्दी में मुद्रण के आविष्कार से बीजगणित का क्षेत्र बहुत विस्तृत हो गया। बीजगणित सार्वीकृत अंकगणित का रूप लेने लगा और उसमें वर्णमाला के अक्षरों का भी प्रयोग होने लगा। सत्रहवीं शताब्दी में बीजगणितीय संकेतवाद पूर्ण रूप से विकसित हो गया और पिछली तीन शतियों में उसमें थोड़ा सा ही संशोधन हुआ है।

बीजगणित का नाम

बीजगणित के जिस प्रकरण में **अनिर्णीत समीकरणों** (Indeterminate Equations) का अध्ययन किया जाता है, उसका पुराना नाम 'कुट्टक' (Pulveriser) है। हिन्दू गणितज्ञ ब्रम्हगुप्त ने उक्त प्रकरण के नाम पर ही इस विज्ञान का नाम ६२८ ई० में 'कुट्टक गणित' रखा। बीजगणित का सबसे प्राचीन नाम कदाचित् यही है। सन् ८६० में पृथूदक स्वामी ने इसका नाम बीजगणित रखा। इस विद्या का नाम 'कुट्टक गणित' तो इसलिए रखा गया था कि 'कुट्टक' बीजगणित का एक मुख्य अंग है। यह नाम ऐसा ही है जैसे आजकल के बहुत से कहानी लेखक किसी कहानी संग्रह का नाम उसके अन्तर्गत दी हुई एक कहानी के नाम पर रख देते हैं। यह प्रवृत्ति विचारों की अल्पता का द्योतक है। या यों कहिए कि लेखक को कोई ढंग का नाम दिखाई ही नहीं पड़ता। 'बीजगणित' नाम अधिक सार्थक है। 'बीज' का अर्थ है 'तत्त्व'। अतः 'बीजगणित' का अर्थ हुआ 'वह विज्ञान जिसमें तत्त्वों द्वारा परिगणन किया जाता है।'

अंकगणित में समस्त संकेतों का मान विदित रहता है। बीजगणित में व्यापक संकेतों से काम लिया जाता है जिनका मान आरम्भ में अनिश्चित रहता है। इसीलिए इन दोनों विज्ञानों के अन्य प्राचीन नाम 'व्यक्त गणित' और 'अव्यक्त गणित' भी हैं।

अंग्रेज़ी में बीजगणित को 'ऐल्जब्रा' (Algebra) कहते हैं। यह नाम अरब देश से आया है। नवीं शताब्दी में अरब में एक गणितज्ञ 'अलख्वारिज्मी' हुआ है जो 'ख्वारिज्मी' नगर का निवासी था। उसने ८२५ ई० में बगदाद में एक पुस्तक लिखी

जिसका नाम 'अल-जब्र-वल-मुक़ावला' रखा। उस समय तो उसके देशवासियों की समझ में पुस्तक के नाम का अर्थ नहीं आया। आधुनिक भाषाविदों का विचार है कि अरबी में 'अल-जब्र' और फ़ारसी में 'मुक़ाबला' समीकरण को ही कहते हैं। अतः लेखक ने फ़ारसी, अरबी दोनों भाषाओं के 'समीकरण' के पर्यायों से अपनी पुस्तक का नाम बना लिया था। अलख्वारिज्मी के ग्रन्थ का महत्त्व इसी से जाना जाता है कि बाद के लेखकों ने उक्त विज्ञान के लिए उसी नाम को अपना लिया और अंग्रेजी में वही नाम आजतक चला आता है।

अन्य देशों में बीजगणित के नाम इस प्रकार हैं—

चीन—तियेँन युयेँन (स्वर्गीय तत्त्व)।

जापान—काइगेँन सी हो (अज्ञात को जानना)।

बग़दाद—फ़ख़ी—इस नाम की उत्पत्ति इस प्रकार है कि बग़दाद के एक गणितज्ञ अल कर्ख़ी ने १०२० ई० के लगभग बीजगणित पर एक पुस्तक लिखी जिसका नाम अपने गुरु 'फ़ख्र ुल्मुल्क' के नाम पर 'फ़ख़ी' रख दिया।

इटली—रैंगोला द ला को सा (अज्ञात राशि का नियम)।

फ्रांस—अर्स मॅग्ना (महान् कला)—सबसे पहले कार्डन ने १५४५ में इस नाम का प्रयोग किया था।

जर्मनी—डी कॉस (अज्ञात राशि) (सोलहवीं शताब्दी)।

(२) पूर्व ऐतिहासिक काल से ३०० ई० पू० तक

अति प्राचीन काल से भारत में भिन्न-भिन्न आकृतियों की यज्ञ वेदियाँ बनायी जाती थीं। ऋग्वेद का समय ३००० ई० पू० से भी पहले का माना जाता है। और ऋग्वेद में अनेक स्थलों पर यज्ञ वेदियों का उल्लेख मिलता है। इन वेदियों की रचना के लिए विशेषज्ञ बुलाये जाते थे। इनकी रचना द्वारा बहुत से बीजगणितीय समीकरणों का साधन होता है। इस प्रकार कह सकते हैं कि बीजगणितीय समीकरणों का ज्यामितीय अध्ययन भारत में ३००० ई० पू० से भी पहले आरम्भ हो गया था। 'शतपथ ब्राह्मण' में भी यज्ञ वेदियों की रचना की विधियाँ दी गयी हैं। और शतपथ ब्राह्मण का समय २००० ई० पू० के लगभग माना जाता है।

वेदी रचना के विषय का इतना महत्त्व था कि इस पर भारत में एक स्वतन्त्र साहित्य तैयार हो गया था। इन ग्रन्थों को **"शुल्व सूत्र"** का नाम दिया गया है। डा० विभूति भूषण दत्त का मत है कि ये सूत्र वेदांगों के **'कल्प सूत्रों'** के ही अंग थे। इनका रचना काल ८००-५०० ई० पू० माना गया है। प्राचीन भारत में इस प्रकार के कई

ग्रन्थ थे[1]—अब उन में से केवल सात शुल्व सूत्र प्राप्य हैं जो क्रमशः इन नामों से विख्यात हैं—

बौधायन, आपस्तम्ब, कात्यायन, मानव, मैत्रायण, वाराह, वाघूल।

हम यहाँ शुल्व सूत्रों की कुछ ज्यामितीय रचनाएँ दे रहे हैं जिनके द्वारा बीजगणितीय समीकरणों के हल निकलते हैं।

(क) किसी वर्ग के बराबर एक आयत बनाना जिसकी एक भुजा दी हो।

इस रचना के लिए आपस्तम्ब में यह नियम दिया गया है[2]—

"वर्ग की एक भुजा को बढ़ा कर इतनी बड़ी काट लो जितनी बड़ी आयत की भुजा दी हुई है। जितना बढ़ती बचे उसे उपयुक्त स्थान पर बिठा दो।"

बौधायन ने इसी नियम को इन शब्दों में दिया है[3]—

"यदि वर्ग की एक भुजा पर ही आयत बनाना हो तो उस भुजा में से आयत की दी हुई भुजा के बराबर खण्ड काट लो। जो बढ़ती बचे उसे दूसरी भुजा की ओर जोड़ दो।"

दोनों ग्रन्थों में नियम का अन्तिम भाग अस्पष्ट है। भिन्न-भिन्न टीकाकारों ने उक्त भाग के भिन्न-भिन्न अर्थ लगाये हैं। इन में से सुन्दरराज और द्वारकानाथ यज्वा का दिया हुआ अर्थ ठीक जँचता है। उनके दिये हुए अर्थ के अनुसार हम यहाँ उक्त रचना देते हैं—

मान लीजिए कि का खा गा घा दिया हुआ वर्ग है और म अभीष्ट आयत की दी हुई भुजा।

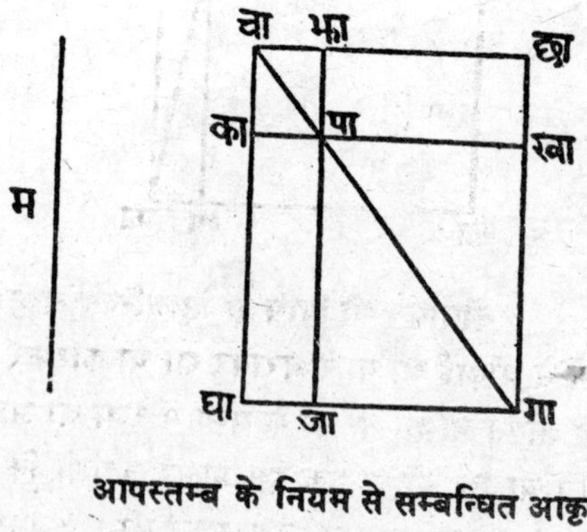

आपस्तम्ब के नियम से सम्बन्धित आकृति।

१. देखिए B. B. Dutt : Science of the sulba—Calcutta (1932) p. 1

२. आपस्तम्ब० (iii) १।

३. बौधायन शुल्व (i) ९३।

गा खा और घा का को क्रमशः छा, चा तक इतना बढ़ाओ कि घा चा=गा छा=म। आयत घा गा छा चा को पूरा कर लो। मान लो कि विकर्ण गा चा रेखा का खा को पा पर काटता है। तो पा खा अभीष्ट आयत की दूसरी भुजा होगी। पा के मध्येन जा पा झा खींचो गा छा के समानान्तर जो घा गा, छा चा को क्रमशः जा, झा पर काटे। तो इस प्रकार हमें इच्छित आयत जा गा छा झा प्राप्त हो गया। उपपत्ति आकृति से स्पष्ट है।

यदि वर्ग की भुजा को क माना जाय तो उपरिलिखित रचना से हमें बीजगणितीय सरल समीकरण

$$म\ य=क^2$$

का हल प्राप्त होता है।

(ख) किसी आयत के बराबर एक वर्ग बनाना।

वौद्धायन और कात्यायन दोनों ने इसकी विधियाँ दी हैं। हम एक उदाहरण लेकर बौधायन की विधि समझाते हैं।

मान लो कि का खा गा घा दिया हुआ आयत है।

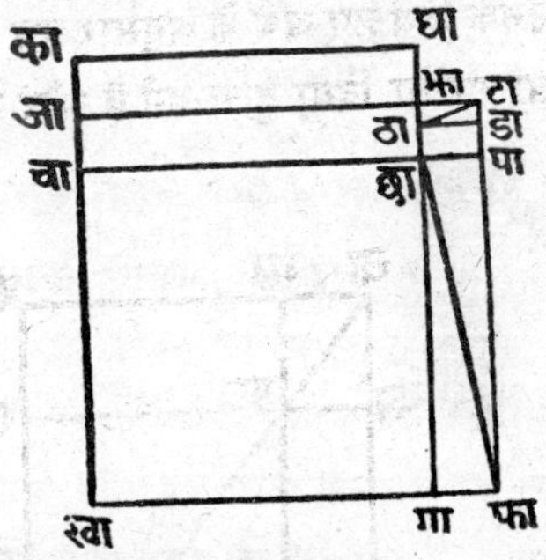

बौधायन की विधि से सम्बन्धित आकृति।

लम्बाई खा का में से चौड़ाई खा गा के बराबर खा चा काटकर वर्ग खा गा छा चा को पूरा कर लो। अब आयत चा छा घा का के मध्य में रेखा जा झा खींच कर उसको समद्विभाजित कर लो। चा छा को पा तक इस प्रकार बढ़ाओ कि छा पा=चा जा। वर्ग छा पा टा झा और आयत छा गा फा पा को पूरा कर लो। अब स्पष्ट है कि

आयत का खा गा घा=वर्ग खा फा टा जा—वर्ग छा पा टा झा।

अतः अब हमें एक ऐसे वर्ग की रचना करनी है जिसका क्षेत्रफल उपरिलिखित दोनों वर्गों के क्षेत्रफलों के अन्तर के बराबर हो।

केन्द्र फा और त्रिज्या फा टा लेकर एक चाप खींचो जो गा झा को ठा पर काटे। ठा डा लम्ब डालो फा टा पर।

तो फा डा ही अभीष्ट वर्ग की भुजा होगी।

उपपत्ति=फा $डा^2$=फा $ठा^2$—ठा $डा^2$=फा $टा^2$—ठा $डा^2$

=वर्ग खा टा—वर्ग छा टा।

इस रचना में बीजगणितीय समीकरण

$$क\ ख = य^2$$

का हल निहित है।

(ग) मान लो कि एक समबाहु समलम्ब (Isosceles trapezium) दिया हुआ है जिसकी समान्तर भुजाएँ २४ और ३० हैं और उच्चत्व (altitude) ३६।

दो समान्तर भुजाओं वाला समबाहु समलम्ब।

अब प्रश्न यह है कि किस अनुपात में इसकी भुजाएँ बढ़ायी जायँ कि क्षेत्रफल में म वर्ग मात्रकों (units) की वृद्धि हो जाय। भाव यह है कि आकृति ज्यों की त्यों बनी रहे, केवल उसका आकार बढ़ जाय।

यदि वृद्धि के अनुपात को य माना जाय तो नयी भुजाएँ २४ य और ३० य हो जायँगी, और उच्चत्व ३६ य। अतः हमें यह समीकरण प्राप्त होगा—

$$३६\ य \times \frac{२४\ य + ३०\ य}{२} = ३६ \times \frac{२४ + ३०}{२} + म,$$

अर्थात् $९७२\ य^2 = ९७२ + म$।

$$\therefore \quad य^2 = १ + \frac{म}{९७२}$$

अतः $$य = \sqrt{१ + \frac{म}{९७२}} \qquad (अ)$$

सुविधा के लिए हम मान लेते हैं कि नये आकार में समलम्ब का क्षेत्रफल मौलिक क्षेत्रफल का स गुना है। तो

९७२+म=९७२ स,

अर्थात् म=९७२ (स−१)

(अ) से, य= √स ।

यही फल शुल्व में दिया गया है।

इसकी विशिष्ट दशाएँ स=१४ अथवा १४$\frac{3}{6}$ शतपथ ब्राह्मण में भी दी गयी हैं।[१]

इस प्रश्न की विधि से बीजगणितीय समीकरण

क य²=ख

का हल निकलता है। यह एक शुद्ध वर्ग समीकरण (Pure Quadratic Equation) है। शुल्व में दी हुई अन्य क्रियाओं द्वारा अशुद्ध वर्ग समीकरण (A dfected Quadratic Equation)

क य²+ख य=ग

के हल भी निकल आते हैं।

(घ) वर्ग समीकरणों का हल एक अन्य प्रकार की वेदियों की परिवृद्धि से भी सम्बद्ध है। कभी-कभी कोई वेदी वर्ग की आकृति की होती है और उसके १॥ गुने अथवा २॥ गुने आकार की एक अन्य वर्गाकार वेदी बनानी होती है। या यों कहिए कि एक वर्ग दिया हुआ है और एक अन्य वर्ग ऐसा बनाना है जिसके क्षेत्रफल और इस वर्ग के क्षेत्रफल में एक निर्दिष्ट राशि का अन्तर हो। शुल्व[२] के तत्सम्बन्धी नियम को हम उदाहरण द्वारा समझाते हैं।

मान लीजिए कि का खा गा घा एक दिया हुआ वर्ग है।

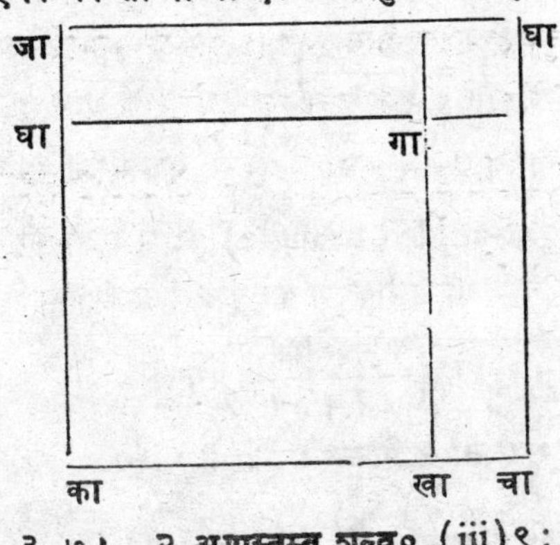

१. (x) २, ३, ७। २. आपस्तम्ब शुल्व० (iii) ९; बौधायन शुल्व० (iii) १९२-४ भी देखिए।

मान लीजिए कि उसकी भुजाओं में खा चा के बराबर वृद्धि करनी है। तो वर्ग की भुजाओं खा गा, गा घा पर दो आयत बनाइए जिन में से प्रत्येक की भुजा खा चा के बराबर हो। कोने गा पर एक वर्ग बनाइए जिसकी भुजा भी खा चा के बराबर हो। तो का चा छा जा ही अभीष्ट वर्ग होगा।

यह रचना बीजगणितीय एकात्म्य (Identity)

$$(\text{क}+\text{ख})^२=\text{क}^२+२\,\text{क}\,\text{ख}+\text{ख}^२$$

का ज्यामितीय सदृश (Analogue) हुई।

अब मान लीजिए कि हमें किसी वर्ग $\text{क}^२$ की वृद्धि म वर्ग मात्रकों से करनी है।

यदि अभीष्ट वर्ग की भुजा य हो तो, उपरिलिखित रचना से,

$$\text{य}^२+२\,\text{क}\,\text{य}=\text{म}, \qquad (\text{इ})$$

अर्थात् $\text{य}^२+२\,\text{क}\,\text{य}+\text{क}^२=\text{म}+\text{क}^२,$

अर्थात् $(\text{य}+\text{क})^२=\text{म}+\text{क}^२$

$$\therefore\ \text{य}=\sqrt{\text{म}+\text{क}^२}-\text{क}\ ।$$

इस प्रकार हमने वर्ग समीकरण (३) का ज्यामितीय विधि से हल निकाल लिया।

(ङ) कुछ रचनाओं में निम्नलिखित अनिर्णीत समीकरण का भी हल मिलता है:—

$$\text{य}^२+\text{र}^२=\text{ल}^२\ ।$$

कात्यायन ने एक सूत्र दिया है जो आधुनिक संकेतलिपि में इस प्रकार लिखा जा सकता है—

$$\text{क}^२(\sqrt{\text{स}})^२+\text{क}^२\left(\frac{\text{स}-१}{२}\right)^२=\text{क}^२\left(\frac{\text{स}+१}{२}\right)^२.$$

इस सूत्र को हम इस रूप में ढाल सकते हैं —

$$\text{ष}^२+\left(\frac{\text{ष}^२-१}{२}\right)^२=\left(\frac{\text{ष}^२+१}{२}\right)^२ \qquad (\text{उ})$$

स्पष्ट है कि राशियाँ ष, $\frac{\text{ष}^२-१}{२}$, $\frac{\text{ष}^२+१}{२}$ एक **सुमेय समकोण** त्रिभुज (Rational right-angled triangle) की भुजाओं की लम्बाइयाँ हैं।

करविन्द स्वामी[1] ने उक्त समीकरण का हल इस रूप में दिया है —

$$\text{य},\ \left(\frac{\text{ष}^२+२\,\text{ष}}{२\,\text{ष}+२}\right)\text{य},\ \left(\frac{\text{ष}^२+२\,\text{ष}+२}{२\,\text{ष}+२}\right)\text{य}\ ।$$

यह हल (उ) से सरलता से निकल सकता है।

१. देखिए, उनकी आपस्तम्ब की टीका (i) ४।

उक्त समीकरण का एक अधिक सार्विक हल इस प्रकार है—

$$(\sqrt{\text{ष स}})^{२}+\left(\frac{\text{ष}-\text{स}}{२}\right)^{२}+\left(\frac{\text{ष}+\text{स}}{२}\right)^{२}.$$

यह हल उस रचना पर आधृत है जिसके द्वारा हम किसी आयत को एक वर्ग में परिणत करते हैं। इस सूत्र की राशियों को सुमेय बनाने के लिए हम इसे इस प्रकार भी लिख सकते हैं—

$$\text{प}^{२}\,\text{फ}^{२}+\left(\frac{\text{प}^{२}-\text{फ}^{२}}{२}\right)^{२}=\left(\frac{\text{प}^{२}+\text{फ}^{२}}{२}\right)^{२}.$$

इसी प्रकार शुल्ब सूत्रों में और भी अनेक प्रकार के अनिर्णीत समीकरणों के हल मिलते हैं।

जिस काल का हम उल्लेख कर रहे हैं उसमें भारत के अतिरिक्त यूनान ही एक ऐसा देश था जहाँ बीजगणित का कुछ आभास पाया जाता है। किन्तु उक्त देश में भी उस समय तक बीजगणित ज्यामिति पर ही आधृत था। यूनानियों ने भी एकात्म्य

$$(\text{क}+\text{ख})^{२}=\text{क}^{२}+\text{ख}^{२}+२\,\text{क ख}$$

को ज्यामितीय विधि से ही सिद्ध किया था।

क ख	$\text{ख}^{२}$
$\text{क}^{२}$	क ख

यूनानियों ने निम्नलिखित एकात्म्यों के भी ज्यामितीय रूप सिद्ध कर दिये थे—

$$(\text{क}-\text{ख})^{२}=\text{क}^{२}+\text{ख}^{२}-२\,\text{क ख},$$

$$(\text{क}+\text{ख})\,(\text{क}-\text{ख})=\text{क}^{२}-\text{ख}^{२},$$

$$\text{क}\,(\text{य}+\text{र}+\text{ल})=\text{क य}+\text{क र}+\text{क ल}\;।$$

वे द्विपद व्यंजकों

$$\text{क}^{२}+२\,\text{क ख},\qquad \text{क}^{२}-२\,\text{क ख}$$

को पूर्ण बनाना भी जानते थे। किन्तु वे ये सब क्रियाएँ ज्यामितीय विधि से ही किया करते थे। बीजगणित का ज्यामिति से पृथक्करण बहुत दिन पीछे हुआ है।

(३) ३०० ई० पू० से ५०० ई० तक

जिस काल का इतिहास हम लिख रहे हैं उस काल में यूरोप और मिस्र में अनेक गणितज्ञ हुए हैं किन्तु उनमें से अधिकांश की रुचि ज्यामिति और ज्यौतिष में थी। उनकी कृतियों का उल्लेख उपयुक्त स्थान पर किया जायगा। आर्किमेंडीज़ भी मुख्यतः ज्यामितिज्ञ ही था किन्तु उसने बीजगणित में भी थोड़ी सी रुचि दिखायी थी, विशेषकर ज्यामितीय बीजगणित में। आर्किमेंडीज़ ने प्राकृतिक संख्याओं के वर्ग का योग

$$१^{२}+२^{२}+३^{२}+\ldots\ldots स^{२}$$

निकाला था। उस से पहले किसी ने भी इस ढंग की किसी श्रेणी का पद्धतिशील विवेचन नहीं किया था। उसने एक विशिष्ट प्रकार के घन समीकरणों का भी हल निकाला था। उक्त समीकरणों को आधुनिक संकेतलिपि में इस प्रकार लिखा जायगा—

$$य^{३} \mp क य^{२} \pm ख^{२} ग = ०.$$

आर्किमिंडीज़ ने शांकवों (conics) के कटान बिन्दु निकाल कर इन समीकरणों का साधन किया था।

ऐलैग्ज़ॅण्ड्रिया का डायफ़ॅण्टस
(Diophantus of Alexandria)

यूनानी गणितज्ञों में डायफ़ॅण्टस का नाम जगत् प्रसिद्ध हो चुका है। अब यह प्रायः निश्चित हो चुका है कि इसका जीवन काल तीसरी शताब्दी ई० का मध्य भाग था। माइकेल सॅलस (Michael Psellus) ने, जिसका जीवन काल ११वीं शताब्दी था, डायफ़ॅण्टस की जीवनी में लिखा है कि वह अनाटोलियस (Anatolius) से पहले जन्म ले चुका था क्योंकि अनाटोलियस ने अपनी पुस्तकें डायफ़ॅण्टस को समर्पित की हैं। और अनाटोलियस लाओडीसिया (Laodicea) का पादरी २७० ई० में हुआ। अतः डायफ़ॅण्टस का जीवन काल २५० ई० के लगभग रहा होगा। इस बात का प्रमाण इससे भी मिलता है कि निकोमेकस (Nicomachus) और स्मर्ना के थियन (Theon of Smyrna) ने डायफ़ॅण्टस का कोई उल्लेख अपनी कृतियों में नहीं किया है। और इन दोनों का जीवन काल १०० और १३० ई० के आस पास था। इससे यह निष्कर्ष निकलता है कि डायफ़ॅण्टस का समय इन दोनों के समय के बाद आता है। दूसरी ओर ऐलैग्ज़ॅण्ड्रिया वाले थियन ने और उसकी लड़की हाइपेशिया (Hypatia) ने अपनी कृतियों में डायफ़ॅण्टस का उल्लेख किया है। और यह पता है कि थियन ने ऐलैग्ज़ॅण्ड्रिया में ३६५ ई० में एक ग्रहण देखा था और हाइपेशिया की मृत्यु ४१५ ई० में हुई थी। इन दोनों बातों से पता चलता है कि डायफ़ॅण्टस का समय ३५० ई० से पहले का ही रहा होगा। अतः उसका जीवन काल जो हमने तीसरी शताब्दी का मध्य माना है, ठीक ही दिखाई पड़ता है।

डायफ़ॅण्टस के जीवन के विषय में बहुत कम जानकारी प्राप्त हुई है। यूनानी वाङ्मय में उसके जीवन के सम्बन्ध में एक प्रश्न दिया हुआ है जो कदाचित चौथी शताब्दी में प्रकाशित हुआ था—

"उसका बालपन उसके जीवन के $\frac{1}{6}$ वें भाग तक रहा। उसके $\frac{1}{12}$ वें भाग पश्चात् उसके दाढ़ी निकलने लगी। उस समय से (जीवन के) $\frac{1}{7}$ वें भाग पश्चात् उसने विवाह किया और विवाह के ५ वर्ष पीछे उसके लड़का हुआ। पुत्र ने पिता से आधी आयु पायी और पिता पुत्र से चार वर्ष पश्चात् मरा।"

इस विवरण से लोगों ने अनुमान लगाया है कि डायफ़ॅण्टस का विवाह ३३ वर्ष की अवस्था में हुआ और मृत्यु ८४ वर्ष की आयु में।

डायफ़ॅण्टस ने तीन ग्रन्थ लिखे हैं—

(१) **ऐॅरिथमॅटिका** (Arithmetica) जो १३ भागों में लिखी गयी थी जिनमें से अब केवल ६ ही उपलब्ध हैं।

(२) **पॉलीगॉनल नम्बर्स** (Polygonal Numbers) जिसका भी अब थोड़ा सा ही भाग मिलता है।

(३) **पोरिज़्म्स** (Porisms).

डायफ़ॅण्टस की कृतियों का पहला संस्करण बेसिल (Basel) में १५७५ ई० में निकला। दूसरा संस्करण पेरिस से १६२१ में प्रकाशित हुआ जिसमें मौलिक यूनानी पाठ दिया हुआ था। तीसरा टूलुस (Toulouse) में १६७० में निकला जिसमें फ़र्मा (Fermat) ने टिप्पणियाँ दी हैं। ऐॅरिथमॅटिका के प्रथम चार भागों का प्रकाशन लीडॅन (Leyden) में १५८५ में हुआ और अन्य संस्करण १६२५ और १६३४ में हुए।

डायफ़ॅण्टस के कार्य पर सब से प्रसिद्ध पुस्तक है

Heath : Diophantus of Alexandria—द्वितीय संस्करण—केम्ब्रिज (Cambridge) १९१०।

उक्त पुस्तक में हीद ने लिखा है कि डायफ़ॅण्टस की कृतियों की २५ हस्तलिपियाँ उपलब्ध हुई हैं। डायफ़ॅण्टस की कृतियों का दूसरा टीकाकार टॅनरी (Tannery) है। इसने डायफ़ॅण्टस का जीवन काल निश्चित करने की एक निराली युक्ति निकाली है। इस ने पता चलाया कि सन् २५० ई० के आसपास यूनान में मदिरा का क्या भाव था। यह भाव डायफ़ॅण्टस के दिये हुए भाव से मेल खा गया। इस प्रकार डायफ़ॅण्टस के जीवन काल की तिथि की पुष्टि हो गयी।

डायफ़ॅण्टस की सबसे प्रसिद्ध पुस्तक ऐॅरिथमॅटिका ही है। आलोचकों का अनुमान है कि उसकी तीसरी पुस्तक पोरिज़्म्स वास्तव में ऐॅरिथमॅटिका का ही एक स्वतन्त्र अंग थी, कोई पृथक् पुस्तक नहीं थी। ग्रन्थ के उक्त अंश में संख्या सिद्धान्त के कुछ रोचक साध्य दिये गये हैं जिनमें से एक प्रसिद्ध साध्य यह है—

दो घनों के अन्तर को दो घनों के जोड़ के रूप में व्यक्त किया जा सकता है।

ऍरिथमैंटिका नाम अनुपयुक्त है। वास्तव में वह बीजगणित की पुस्तक है। उसमें बहुत से ऐसे प्रश्न दिये गये हैं जिनके सुमेय हल अपेक्षित हैं, जिन्हें निकालना बड़े बड़े गणितज्ञों के लिए भी लोहे के चने चबाने के समान है। डायफ़ॅण्टस ने स्वय उनमें से बहुतों के हल करने की बड़ी मौलिक विधियाँ निकालीं, किन्तु उनसे उन प्रश्नों का आंशिक हल ही निकल पाया। उक्त प्रश्न गणितज्ञों के लिए आजतक सिर दर्द बने हुए हैं। दसियों गणितज्ञों ने उन पर माथा पच्ची की है और **आधुनिक वैश्लेषिक संख्या सिद्धान्त** का अधिकांश उन्हीं के गवेषणा कार्य से भरा पड़ा है।

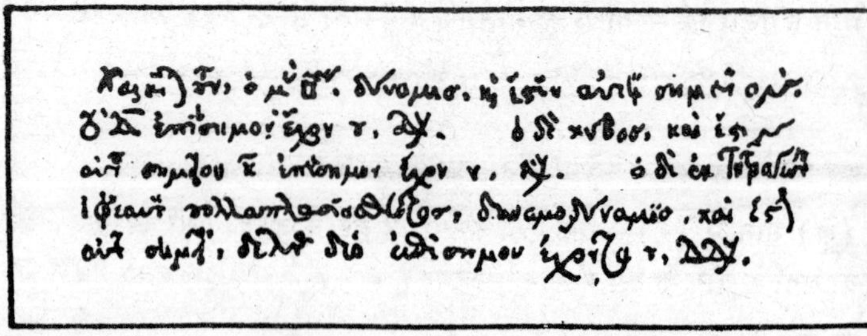

ऍरिथमैंटिका का संकेतवाद।

(इन्साइक्लोपीडिया ब्रिटैनिका से)

ऍरिथमैंटिका में बहुत से प्रश्न ऐसे हैं जिनसे एक, दो, तीन, अथवा चार चरों (Variables) के एकघात समीकरणों (Linear equations) का निर्माण होता है। कुछ प्रश्नों पर तो निर्णीत (Determinate) और शेष प्रश्नों पर अनिर्णीत (Indeterminate) समीकरण बनते हैं। डायफ़ॅण्टस सदैव पूर्णांक हल निकालने का प्रयत्न नहीं किया करता था, वरन् सुमेय हलों से ही सन्तुष्ट हो जाया करता था। उसकी विधि यह थी कि वह अज्ञात राशियों में से एक का कोई कल्पित मान लेकर किसी अनिर्णीत समीकरण को भी निर्णीत समीकरण में परिवर्तित कर लिया करता था। ग्रन्थ के अधिकांश भाग में द्वितीय घात के अनिर्णीत समीकरणों का विवेचन है। उक्त विषय का महत्त्व इसी बात से समझा जा सकता है कि अब ऐसे समस्त अनिर्णीत समीकरणों का नाम, जिनके गुणांक सुमेय हों और सुमेय हल ही अपेक्षित हों, **डायफ़ॅण्टी समीकरण** (Diophantine Equations) ही पड़ गया

है। पुस्तक में कतिपय तृतीय और चतुर्थ घात समीकरणों का भी समावेश है और एक समीकरण षष्ठ घात का भी है। प्रायः समस्त प्रश्नों में एक सी ही समस्या है : ऐसी दो, तीन अथवा चार संख्याएँ निकालना जिनके विभिन्न व्यंजक पूर्ण वर्ग, पूर्ण घन अथवा दोनों का सम्मिश्रण बन जायँ। हम यहाँ उक्त प्रकार के दो तीन प्रश्न देते हैं।

(क) भाग १ (२७)—ऐसी दो संख्याएँ उपलब्ध करना जिनके जोड़ और गुणनफल दिये हुए हों।

आवश्यक अनुबन्ध—जोड़ के आधे का वर्ग गुणनफल से बड़ा होना चाहिए और दोनों का अन्तर एक वर्ग संख्या होनी चाहिए।

दिया हुआ जोड़=२०, गुणनफल ९६.

मान लीजिए कि संख्याओं का अन्तर २ य है। तो संख्याएँ १०+य, १०—य हुईं।

$$\therefore\ १०० - य^{२} = ९६.$$

$$\text{अतः}\quad य = २.$$

इस प्रकार अभीष्ट संख्याएँ १२ और ८ हुईं।

(ख) भाग २ (९)—एक ऐसी संख्या दी हुई है जो दो वर्गों का योग है। उसे अन्य दो वर्गों के योग के रूप में व्यक्त करना है।

दी हुई संख्या $१३ = २^{२} + ३^{२}$

इन वर्गों के मूल २ और ३ हैं। अतः एक वर्ग को $(य+२)^{२}$ और दूसरे को $(मय-३)^{२}$ मानो जिसमें म कोई पूर्णांक है।

$$\text{तो}\quad (य^{२}+४\,य+४)+(म^{२}\,य^{२}-६\,म\,य+९)=१३,$$

$$\text{अर्थात्}\quad (१+म^{२})\,य^{२}+(४-६\,म)\,य=०.$$

$$\therefore\ य=\frac{६\,म-४}{म^{२}+१}.$$

यदि $म=३$ तो $य=\frac{७}{५}$

अतः अभीष्ट संख्याएँ $\frac{१७}{५}$ और $\frac{६}{५}$ हुईं।

म के अन्य पूर्णांक मान लेने से अनेक हल निकल सकते हैं।

ऑयलर (Euler) ने इसी प्रश्न को सार्विक रूप दिया है। यदि त, थ दो दी हुई संख्याएँ हैं तो समीकरण

$$य^{२}+र^{२}=त^{२}+थ^{२}$$

से य, र के मान निकालने हैं।

स्पष्ट है कि यदि $य > त$, तो $र < थ$।

मान लीजिए कि

$$य=त+प\,ल, \qquad र=थ-फ\,ल \quad ।$$

तो हमें प्राप्त हैं—

$$२\,त\,प\,ल+प^{२}ल^{२}-२\,थ\,फ\,ल+फ^{२}ल^{२}=०.$$

$$\therefore\ ल=\frac{२\,(थ\,फ-त\,प)}{प^{२}+फ^{२}}.$$

इस प्रकार, $य=त+\dfrac{२\,प\,(थ\,फ-त\,प)}{प^{२}+फ^{२}}=\dfrac{२\,थ\,प\,फ+त\,(फ^{२}-प^{२})}{प^{२}+फ^{२}}$

और $र=थ-\dfrac{२\,फ\,(थ\,फ-त\,प)}{प^{२}+फ^{२}}=\dfrac{२\,त\,प\,फ+थ\,(प^{२}-फ^{२})}{प^{२}+फ^{२}}$ ।

(ग) भाग ३ (१)—ऐसी तीन संख्याएँ ज्ञात करना कि यदि उनमें से किसी का वर्ग तीनों के जोड़ में से घटायें तो अन्तर एक पूर्ण वर्ग हो ।

मान लीजिए कि संख्याओं में से दो य और २ य हैं। तो यदि हम तीनों संख्याओं का जोड़ $५\,य^{२}$ मान लें तो दो शर्तें पूरी हो जाती हैं क्योंकि–

$५\,य^{२}-य^{२}=४\,य^{२}$, एक पूर्ण वर्ग,

और $५\,य^{२}-४\,य^{२}=य^{२}$, एक पूर्ण वर्ग ।

अब ५ को (ख) में दी हुई विधि से दो वर्ग में तोड़ो। मान लीजिए कि $\frac{४}{२५}$ और $\frac{१२१}{२५}$ प्राप्त हुए। $\frac{४}{२५}$ का मूल $\frac{२}{५}$ है।

अतः तीसरी संख्या को $\frac{२}{५}$ य मान लीजिए। इस प्रकार

$$य+२\,य+\tfrac{२}{५}\,य=५\,य^{२},\ \text{अतः}\ य=\tfrac{१७}{२५} \ ।$$

तो संख्याएँ $\frac{१७}{२५}, \frac{३४}{२५}, \frac{३४}{१२५}$ प्राप्त हो गयीं।

पुस्तक के भाग ६ में समकोण त्रिभुजों पर प्रश्न दिये हुए हैं। ये त्रिभुज ऐसे हैं कि इनकी भुजाओं की लम्बाइयाँ और क्षेत्रफल भी पूर्ण वर्ग हों। इनमें से अधिकांश प्रश्न बहुत रोचक हैं। पुस्तक के शेष भाग में संख्या सिद्धान्त के कुछ साध्य दिये गये हैं जैसे—

(i) यदि संख्या २ स+१ दो वर्गों का जोड़ हो तो स विषम नहीं हो सकता। इसका अर्थ यह हुआ कि इस प्रकार की कोई संख्या

$$४\,स-१ \quad \text{अथवा}\ ४\,स+३$$

दो वर्गों का जोड़ नहीं हो सकती।

(ii) इस प्रकार : (८ स+७) की कोई संख्या तीन वर्गों का जोड़ नहीं हो सकती।

डायफॅण्टी समीकरणों पर व्यावहारिक प्रश्न—हमें भारतवर्ष में प्रचलित नये दशमलव सिक्कों की कई बार आवश्यकता पड़ेगी। अतः हम यहाँ उनके नाम रखे देते हैं—

१०० नये पैसे = १ रुपया
५० ,, = १ धेली
२५ ,, = १ पाउली
१० ,, = १ दहली
५ ,, = १ पंजी
२ ,, = १ टकी

मान लीजिए कि कोई महाजन एक रुपये की रेज़गी पाउलियों में और पंजियों में ही लेना चाहता है। शर्त यह है कि दोनों सिक्कों में से कम-से-कम एक सिक्का अवश्य लेगा। तो वह कितने प्रकार से रुपया भुना सकता है। स्पष्ट है कि इसका उत्तर है—तीन प्रकार से—

(i) ५ पंजियां, ३ पाउलियां
(ii) १० पंजियां, २ पाउलियां
(iii) १५ पंजियां, १ पाउली।

उक्त प्रश्न से यह समीकरण

५ य+२५ र=१००, अर्थात् य+५ र=२०

बनता है। इस समीकरण का सार्विक रूप

क य+ख र=ग

है। आधुनिक **संख्या सिद्धान्त** की विधियों से उक्त विशिष्ट समीकरण का हल यह होगा—

य=५+५ व, र=३—व,

जिसमें व एक प्राचल (parameter) है। स्पष्ट है कि केवल धन पूर्णांक हल ही अपेक्षित हैं। और इन व्यंजकों में व=०, १ अथवा २ रखने से ही ऐसे हल प्राप्त होते हैं। अतः उपरिलिखित हल में व के ये मान रखने से हमें यह उत्तर मिलता है—

य=५, १०, १५
र=३, २, १

उच्चघात डायफ़ॅण्टी समीकरण—एक से उच्च घात (Higher Degree) के डायफ़ॅण्टी समीकरणों को हल करना प्रायः कठिन होता है। इन समीकरणों पर बहुत से गणितज्ञों ने सिर मारा है। अतः इस विषय पर बहुत सा गणितीय साहित्य इकट्ठा हो गया है। किन्तु एक कठिनाई यह आ पड़ती है कि प्रत्येक प्रश्न को हल करने का डायफ़ॅण्टस का एक निराला ही ढंग है। अतः उसकी विधियों का सार्वीकरण नहीं

हो सकता। इस प्रकार प्रत्येक समीकरण एक समस्या बन गया है। हम यहाँ भाग २ से एक उदाहरण देते हैं।

प्रश्न १०—दो वर्ग संख्याएँ निकालना, जिनका अन्तर दिया हो।

दिया हुआ अन्तर=६०.

मान लीजिए कि एक संख्या $य^{२}$ है। तो दूसरी संख्या इस प्रकार $(य+क)^{२}$ की होगी। मान लीजिए कि क=३. तो प्रश्न के न्यास से,

$$(य+३)^{२}—य^{२}=६०.$$

$\therefore$ य=८$\frac{१}{२}$ और अभीष्ट वर्ग संख्यायें ७२$\frac{१}{४}$, १३२$\frac{१}{४}$ प्राप्त हो गयीं।

डायफ़ॅण्टस ने क=३ क्यों लिया, इसका उत्तर हमारे लिए देना कठिन है। जो प्रश्न उसने उठाया था उसका हल तो उसने निकाल लिया, किन्तु आधुनिक पद्धति में तो हम इस प्रकार चलेंगे—

मान लीजिए कि दिया हुआ अन्तर ट है और $य^{२}$, $(य+क)^{२}$ अभीष्ट संख्याएँ हैं। तो

$$(य+क)^{२}—य^{२}=ट \quad ।$$

$$\therefore \; २ य क+क^{२}=ट,$$

अर्थात् $$य=\frac{ट—क^{२}}{२ क} \quad ।$$

अब य का मान सार्विक पदों में निकल आया। इस में ट और क के विभिन्न मान रखने से हमें य के मानों की एक माला प्राप्त हो जायगी।

यहाँ डायफ़ॅण्टस की बीजगणितीय संकेतलिपि के विषय में भी दो शब्द कहना आवश्यक प्रतीत होता है। डायफ़ॅण्टस के समय तक बीजगणित में एक बहुत ही भौंडी संकेतलिपि का प्रयोग होता था। डायफ़ॅण्टस ने उसमें सुधार किया और इस प्रकार बीजगणितीय सूत्रों की लेखन विधि को सुगम बनाया। उसने जोड़ के लिए कोई स्वतन्त्र चिह्न निश्चित नहीं किया था। केवल पदों को एक के बाद एक रखने से वह + चिह्न का काम निकाल लिया करता था। ऋण चिह्न के लिए उसने यह संकेत ↑ निश्चित किया था।

इसमें सन्देह नहीं कि डायफ़ॅण्टस में विलक्षण प्रतिभा थी। वह किस गुरु के चरणों में बैठा और उसने कौन कौन सी पुस्तकें पढ़ीं इसका हमें कुछ पता नहीं। किन्तु उस समय यूनान की गिरी हुई गणितीय अवस्था को देखकर यह कहना पड़ता है कि वह "गुदड़ी का लाल" था।

डायफ़ॅण्टस की मृत्यु के पश्चात् के गणितज्ञों में आयम्ब्लिकस (Iamblicus) का नाम उल्लेखनीय है। इसका जन्म सीरिया के एक सम्मानित परिवार में हुआ था। जन्म तिथि का ठीक पता नहीं है, किन्तु मृत्यु ३३० ई० के लगभग हुई थी। इसने रोम में पॉर्फ़ाइरी (Porphyry) से शिक्षा प्राप्त की और सीरिया में अध्यापन कार्य किया। इसने पिथॅगोरस और निकोमेकस पर कई टीकाएँ लिखी हैं, किन्तु इसके अधिकांश ग्रन्थ दर्शन-सम्बन्धी थे। इसके गणितीय ग्रन्थ निम्नलिखित हैं—

(१) On the Pythagorean Life (पिथॅगोरी जीवन पर) काइस्लिग (Kiessling) संस्करण (१८१५); अंग्रेज़ी अनुवाद टेलर (Taylor) (१८१८)

(२) On the general science of Mathematics (गणित के सार्विक विज्ञान पर) फ्रीस (Friis) कोपिनहॅगॅन (Copenhagen) (१७९०)

(३) On the Arithmetic of Nicomachus (निकोमेकस के अंकगणित पर)–टॅन्यूलियस (Tennulius) (१६८८)

(४) The Theological principles of Arithmetic (अंकगणित के धर्मशास्त्रीय सिद्धान्त)—अस्ट (Ast) लाइप्ज़िग (Leipzig) (१८१७)

आयम्ब्लिकस ने संख्या सिद्धान्त का निम्नलिखित प्रमेय सिद्ध किया था जो अब प्रसिद्ध हो गया है —

यदि इस प्रकार के ३ स, ३ स—१, ३ स—२ कोई से तीन क्रमागत पूर्णांक जोड़ें जायँ और प्राप्त संख्या के अंकों को जोड़ा जाय और फिर इस जोड़ के अंकों को जोड़ें, और इसी प्रकार जोड़ते चले जायँ तो अन्त में संख्या ६ ही प्राप्त होगी।

उदाहरण—एक संख्या ले लीजिये जो ३ से भाज्य हो। मान लीजिए हमने १७४३ लिया। अब इसमें इससे ठीक पहले के दो पूर्णांक १७४१ और १७४२ जोड़ दीजिए। जोड़ ५२२६ हुआ। इसके अंकों का जोड़ ५+२+२+६ अर्थात् १५ हुआ। इस संख्या के अंकों का जोड़=१+५ अर्थात् ६.

हमने इस विभाग में केवल यूरुप के गणितज्ञों का ही उल्लेख किया है। कारण यह है कि उक्त काल में एशिया में जो गणितज्ञ हुए वे प्रायः ज्यामितिज्ञ अथवा ज्यौतिषी थे। ज्यौतिष हमारे क्षेत्र से बाहर का विषय है और उनके ज्यामितीय कार्य का विवरण आगामी अध्यायों में यथास्थान आ ही जायगा।

(४) भक्षाली गणित

भूमिका

भारत के उत्तर-पश्चिमी सीमा प्रदेश में, जो अब पाकिस्तान का अंग बन गया है, पेशावर ज़िले में मर्दान एक तहसील का नाम है। उक्त तहसील में भक्षाली नाम का एक गाँव है। भक्षाली की सड़क के पूर्वी ओर कुछ टीले बने हुए हैं। सम्भव है कि ये टीले किसी पुरानी बस्ती के भग्नावशेष हों। सन् १८८१ में एक किसान एक टीले पर खुदाई कर रहा था। अकस्मात् उसे पृथ्वी में से ये वस्तुएँ प्राप्त हुईं—

(क) पत्थर का एक त्रिभुजाकार दिया,

(ख) सेल्खड़ी की एक क़लम,

(ग) काली मिट्टी का एक बड़ा लोटा जिसकी पेंदी में छेद किये हुए थे,

(घ) भोजपत्र पर लिखी हुई एक हस्तलिपि।

हस्तलिपि बड़ी जीर्ण दशा में थी और उक्त किसान उसके मूल्य से अनभिज्ञ था। अतः उसे उठाकर लाने में भी उसके कई पृष्ठ नष्ट हो गये। केवल ७० पन्ने सुरक्षित रह गये हैं जिनमें से भी कुछ तो धज्जियों के रूप में ही हैं। इसी हस्तलिपि का नाम **'भक्षाली हस्तलिपि'** पड़ गया है। डा० होर्नल (Hoernle) उन दिनों भारतीय इतिहास के विशेषज्ञ माने जाते थे। अतः उक्त पाण्डुलिपि परीक्षण के लिए उनके पास भेज दी गयी। डा० होर्नल ने उक्त पाण्डुलिपि पर तीन लेख लिखे जिनके अभिदेश ये हैं—

(१) Indian Antiquary XII (1883) 89—90

(२) Verhandtungen des VII Internationalen Orientalisten Congresses, Arische section p. (1886) p. 127

(३) Indian Antiquary XVII (1888) pp. 33—48, 275—9.

तत्पश्चात् हस्तलिपि इंग्लॅण्ड भेज दी गयी और आज भी ऑक्स्फ़ोर्ड (Oxford) के बॉड्लियन (Bodlian) पुस्तकालय में रखी हुई है। भारतीय सरकार ने उसका जी. आर. के (Kaye) द्वारा सम्पादन और प्रकाशन कराया है। हस्तलिपि तीन भागों में छापी गयी है। पहले दो भाग कलकत्ते के भारतीय पुरातत्त्व विभाग (Archaeological Survey of India) से १९२७ में प्रकाशित हुए थे। तीसरा भाग १९३३ में प्रकाशित हुआ। उक्त प्रकाशनों में पाठ के अतिरिक्त हस्तलिपि के फ़ोटो और वर्णान्तर (Transliteration) भी दिये गये हैं।

भक्षाली हस्तलिपि, प्लेट ३६ ।

हस्तलिपि प्राचीन शारदा लिपि में लिखी गयी है। पृष्ठ का वर्तमान आकार ६″ × ३$\frac{9}{8}$″ है। किन्तु प्रायः सभी पन्नों के ऊपर और नीचे के भाग नष्ट हो चुके हैं। इसलिए यह पता चलाना कठिन है कि पृष्ठ का मौलिक आकार कितना था। डा० होर्नल ने लिखा है कि पुस्तक के सत्ताइसवें सूत्र वाले पृष्ठ के ऊपर और नीचे कदाचित् दो वर्ग आकृतियाँ बनी हुई थीं जिनके भग्नावशेष दृष्टिगोचर हो रहे हैं। उनसे पता चलता है कि पृष्ठ का मौलिक आकार ७″ × ८$\frac{1}{8}$″ के लगभग रहा होगा। इस कथन की पुष्टि इस बात से भी मिलती है कि बहुत सी प्राचीन पाण्डुलिपियाँ वर्गाकार कागज़ पर लिखी जाती थीं।

हस्तलिपि के आदि और अन्त के कितने पन्ने नष्ट हो चुके हैं, यह जानने का कोई साधन दिखाई नहीं देता। इतना अवश्य पता चलता है कि पुस्तक का आकार बृहत् था और उसका जितना भाग बच रहा है वह आधे से भी कम है। सम्भवतः पुस्तक अध्यायों अथवा खण्डों में बाँटी हुई थी। पुस्तक का सबसे पहला सूत्र जो सुरक्षित रह गया है, नवां है और सबसे अन्तिम सूत्र ५७ वां। अधिकांश पन्नों के दाहिने और बायें भाग भी नष्ट हो चुके हैं। पुस्तक का आदि और अन्त नष्ट हो जाने के कारण न तो पुस्तक के नाम का पता चल पाया है, न लेखक के नाम का।

पुस्तक सूत्रों में दी गयी है। प्रत्येक सूत्र के पश्चात् उदाहरण दिये गये हैं। तत्पश्चात् वही उदाहरण अंकों और संकेतों द्वारा व्यक्त किये गये हैं। प्रकरण के इस अंश को **स्थापना** कहते हैं। स्थापना के बाद प्रश्न का हल दिया गया है जिसे **करण** कहते हैं। अन्त में उपपत्ति आती है जिसका नाम **प्रत्यय** दिया गया है। यह परिपाटी ब्रह्मगुप्त और भास्कर की परिपाटी से भिन्न दीख पड़ती है। ये दोनों गणितज्ञ प्रश्नों के उत्तर दिया करते थे, साधारणतया पूरा हल अथवा उपपत्ति नहीं देते थे।

संकेतलिपि (Notation)

हस्तलिपि में साधारणतया ब्रह्मगुप्त और भास्कर की संकेतलिपि का ही प्रयोग किया गया है, किन्तु एक अपवाद बड़ा महत्त्वपूर्ण है। उक्त हस्तलिपि में ऋण चिह्न के लिए + चिह्न का प्रयोग किया गया है जो आजकल धन चिह्न का काम देता है और यह चिह्न जिस अंक पर लगाया गया है उसके पीछे लिखा गया है। जैसे—

१८	११+
१	१

का अर्थ है १८−११ अर्थात् ७।

यह चिह्न ऋण चिह्न के लिए किस समय प्रयुक्त होता था इस का पता आज तक नहीं चल पाया है, क्योंकि यह चिह्न इस अर्थ में प्रयुक्त होते और किसी प्राचीन पुस्तक में देखा नहीं गया है। पिछली कई शताब्दियों में तो ऋण चिह्न के स्थान पर अंक के ऊपर बिन्दी लगायी जाती थी। इससे पता चलता है कि भक्षाली हस्तलिपि बहुत प्राचीन है।

उक्त चिह्न की उत्पत्ति कहाँ से हुई इस प्रश्न का कोई सन्तोषजनक उत्तर डा० होर्नेल नहीं दे सके हैं। उनको बनारस के डा० थीबॉ (Thibaut) ने बताया था कि यूनान का गणितज्ञ डायफ़ॅण्टस ऋण चिह्न के लिए यूनानी वर्ण ψ के उल्टे (अर्थात् ψ) का प्रयोग किया करता था। उक्त दोनों चिह्नों में कुछ समानता तो अवश्य है और इसी बात को लेकर डा० के ने अपने इस सिद्धान्त की पुष्टि कर ली कि हिन्दू गणितज्ञों पर यूनानी गणित का बहुत प्रभाव पड़ा है। डा० के ने तो जहाँ कहीं भी हो सका है यूनान और यूरोप का पक्षपात किया है और भारतीयों को नीचा दिखाने का प्रयत्न किया है। उनके कथन तो व्यामोह और भूलों से भरे पड़े हैं और विद्वानों ने उनकी बातों को महत्त्व देना छोड़ दिया है।

पहली बात तो यह है कि डायफ़ॅण्टस जिस चिह्न का प्रयोग करता था वह ↑ था, न कि ψ। और इस चिह्न ↑ और + में बहुत थोड़ी समानता है। इसके अतिरिक्त अब यह निर्विवाद रूप से सिद्ध हो चुका है कि भारतीय गणितज्ञों पर यूनान का प्रभाव नहीं था, वरन् गणित के क्षेत्र में यूनानी ही भारतीयों के ऋणी रहे हैं। अब प्रश्न यह रह जाता है कि + वियोग के अर्थ में कैसे प्रयुक्त हुआ। भारतीय गणितज्ञों की यह परिपाटी रही है कि चिह्न के स्थान पर तत्सम्बन्धी शब्द के प्रथम अक्षर का प्रयोग किया करते थे। जोड़ने के लिए हमारी प्राचीन पुस्तकों में युत का प्रयोग होता था और इसीलिए ये लोग जोड़ने के चिह्न के लिए अंक के अन्त में यु लिखा करते थे। इस प्रकार––

४ ९
१ १ यु

का अर्थ होता था ४+९. इसी प्रकार संभव है कि ये लोग ऋण के लिए ऋ का प्रयोग करते हों और ऋ ही विकृत होते होते इस रूप + में पहुँच गया हो। यद्यपि यह मानना पड़ेगा कि ऋ और + में बहुत अधिक समानता नहीं है।

एक बात और भी ध्यान देने योग्य है। यदि + नागरी लिपि के किसी वर्ण से मिलता है तो क से। विशेष कर प्राचीन अशोक लिपि में तो क प्रायः उसी प्रकार लिखा जाता है जैसा आजकल का + चिह्न। अब प्रश्न यह है कि क़ कौन से शब्द का प्रथमाक्षर हो सकता है। इस सम्बन्ध में डा० होर्नेल ने कई अनुमान लगाये हैं। हम

जानते हैं कि प्रत्यय के रूप में क छोटे का द्योतक है जैसे पुस्तक, बालक, पत्रक में। इस वर्ण का 'छोटे' से कैसे सम्बन्ध हुआ यह इन शब्दों पर ध्यान देने से निम्नलिखित प्रकट हो जायगा—

कन अथवा कण	=	छोटा टुकड़ा
कनीयस्	=	छोटा
कनिष्ठ	=	सबसे छोटा
कन अंगुली	=	सबसे छोटी अंगुली
कन्या	=	क्वाँरी (छोटी) लड़की

इन शब्दों का मूल संस्कृत धातु 'कनै' है जिसका अर्थ है 'छोटा करना' अथवा 'कम करना'। इस धातु से भूत कृदंत बनेगा 'कनितं' जिसका अर्थ होगा 'कम किया हुआ'। अतएव संभव है कि प्राचीन समय में गणितज्ञों ने क को 'कनिन' का संक्षिप्त रूप मान लिया हो और उसका प्रयोग ऋण चिह्न के लिए किया हो। और जब अशोक लिपि के वर्ण का रूपान्तर शारदा लिपि के वर्णों में हुआ हो तब अन्य वर्ण के रूपों में तो मौलिक अन्तर हो गया हो, किन्तु क का रूप प्रायः ज्यों-का-त्यों रह गया हो।

डा० होर्नल ने एक अनुमान यह दिया है कि + न्यून के संक्षिप्त रूप नू (प्राकृत न्यू) का विकार है। न्यून का अर्थ है घटाया हुआ और अशोक लिपि के अक्षर नू का रूप बहुत कुछ + चिह्न से मिलता जुलता है। हमें उपरिलिखित अनुमान उनके इस अनुमान से अधिक युक्तिसंगत प्रतीत होता है।

डा० दत्त का विचार है कि + क्ष का रूपान्तर है जो संस्कृत शब्द 'क्षय' का संक्षिप्त रूप है। 'क्षय' का अर्थ है 'घटना'। अतः अर्थ तो ठीक ठीक बैठ जाता है। ब्राह्मी वर्णमाला और भक्षाली वर्णमाला दोनों के क्ष का रूप + से बहुत कुछ मिलता जुलता है। केवल इतना अन्तर है कि उक्त वर्ण में खड़ी रेखा के निम्न भाग में एक घुण्डी सी बनी रहती है। यह संभव है कि उक्त वर्ण के अधिक प्रयोग के कारण घुण्डी उड़ गयी हो और + रह गया हो। हम यह नहीं कह सकते कि डा० दत्त का यह अनुमान कहाँ तक सत्य है, किन्तु यह मानना पड़ेगा कि यह सुझाव देने में उन्होंने दूर की कौड़ी मारी है।

भक्षाली हस्तलिपि में पूर्णांक लिखने की यह पद्धति है कि अंक के नीचे १ लिख दिया जाता है, किन्तु दोनों के बीच में भाग रेखा (Solidus) नहीं दी गयी है। यह परिपाटी भारत के कुछ भागों में अभी तक प्रचलित है।

हस्तलिपि की संकेतना इस उदाहरण से स्पष्ट हो जायगी—

०	१	१	१	१	भा शे १६	फलं ८१*
१	१	१	१	१	१	
	३+	३+	३+	३+		

इसका अर्थ है—

$$य = \frac{१६}{(१-\frac{१}{३})\,(१-\frac{१}{३})\,(१-\frac{१}{३})\,(१-\frac{१}{३})} = ८१.$$

अज्ञात राशि के लिए हस्तलिपि में बिन्दी ० का प्रयोग किया गया है। आजकल उसे य से निरूपित किया जाता है। अतः पहले स्तम्भ का अर्थ हुआ $\frac{य}{१}$ अर्थात् य। अगले चार स्तम्भों में से प्रत्येक का अर्थ है $(१-\frac{१}{३})$. मिश्र संख्याएँ ऊपर नीचे लिखी गयी हैं। इस प्रकार

१
१
३

का अर्थ होगा $१+\frac{१}{३}$। किन्तु यदि ३ के पश्चात् + चिह्न हो तो उक्त व्यंजक का मान $(१-\frac{१}{३})$ होगा। गुणा के लिए हस्तलिपि में किसी विशेष चिह्न का प्रयोग नहीं किया गया है। केवल जिन संख्याओं को गुणा करना हो उन्हें पास पास लिख दिया जाता है। अतएव दूसरे, तीसरे, चौथे, पांचवें स्तम्भों का मिलाकर अर्थ हुआ

$$\left(१-\frac{१}{३}\right)\left(१-\frac{१}{३}\right)\left(१-\frac{१}{३}\right)\left(१-\frac{१}{३}\right)$$

भा शे=भाग शेष ।

तात्पर्य यह है कि उपरिलिखित गुणनफल से १६ को भाग दो। तो फल ८१ मिलेगा।

यहाँ तक तो ठीक है। किन्तु एक प्रश्न यह रह जाता है कि इस प्रसंग में 'शेष' का क्या प्रयोजन है। डा० के ने इसका एक निर्वचन (Interpretation) दिया है। हमें हस्तगत है

$$\frac{१६}{(१-\frac{१}{३})\,(१-\frac{१}{३})\,(१-\frac{१}{३})\,(१-\frac{१}{३})} = ८१,$$

* The Bhakshali manuscript Pts. I, II, III **आगे इन्हें इस प्रकार भक्षाली** I, II, III **लिखा जायगा—देखिए,** III २०७।

अर्थात् ८१ $(१-\frac{१}{३})$ $(१-\frac{१}{३})$ $(१-\frac{१}{३})$ $(१-\frac{१}{३})$ $=$ १६.

अब एक एक पग पर विचार कीजिए। ८१ को $(१-\frac{१}{३})$ से गुणा करने से ८१ $-\frac{८१}{३}$ अर्थात् ८१ $-$ २७ मिलता है। इस 'शेष' का मान ५४ हुआ। अब

५४ $(१-\frac{१}{३})$ $=$ ५४ $-\frac{५४}{३}$; शेष $=$ ३६,

३६ $(१-\frac{१}{३})$ $=$ ३६ $-\frac{३६}{३}$, शेष $=$ २४

अन्त में, २४ $(१-\frac{१}{३})$ $=$ २४ $-\frac{२४}{३}$ $=$ १६.

उपरिलिखित प्रश्न को शब्दों में इस प्रकार लिखा जायगा—

वह कौन सी संख्या है जो १६ को $(१-\frac{१}{३})$ $(१-\frac{१}{३})$ $(१-\frac{१}{३})$ $(१-\frac{१}{३})$ से भाग देने पर प्राप्त होती है? उत्तर ८१.

हस्तलिपि में दशमिक पद्धति की संकेतलिपि का प्रयोग किया गया है। उसके अंक इस प्रकार हैं—

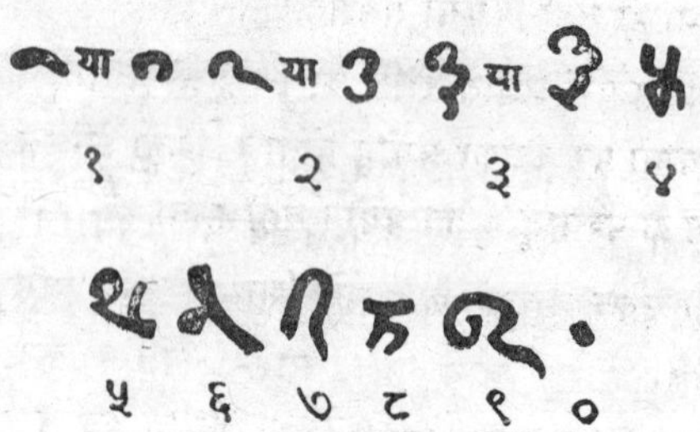

भक्षाली हस्तलिपि के अंक।

स्पष्ट है कि उक्त हस्तलिपि में बिन्दी का प्रयोग अज्ञात राशि के अतिरिक्त शून्य के लिए भी किया गया है। आधुनिक पद्धति में इसका प्रयोग केवल शून्य के अर्थ में ही रह गया है और अब इसका आकार बिन्दी से बढ़ कर पूरा वृत्त 0 हो गया है। डा० के ने यह सिद्ध करने की प्राणपण से चेष्टा की है कि दशमिक अंकों और शून्य का आविष्कार विदेश में हुआ और विदेश से यह प्रणाली भारत में आयी। किन्तु अब यह बात निर्विवाद रूप से सिद्ध हो चुकी है कि दशमिक पद्धति और शून्य दोनों की जननी भारत भूमि ही है। इतना अवश्य है कि ० का आरम्भ 'आदि संख्या' (Initial Number) के रूप में नहीं हुआ, वरन् 'रिक्ति' अथवा 'अभाव' के रूप में हुआ। 'शून्य' का अर्थ ही है 'रिक्ति' और आजकल भी बहुत सी वैज्ञानिक पुस्तकों में यह शब्द vacuum के अर्थ में प्रयुक्त हो रहा है।

इस प्रकार (४६) का अर्थ होता था 'छियालीस' किन्तु (४ ६) का अर्थ होता था 'चार सौ छः'। यदि दोनों अंकों के बीच में जितना स्थान छूटना चाहिए उससे कम छोड़ा जाता था तो पाठक को भ्रम हो जाता था कि लेखक का तात्पर्य ४६ से है या ४०६ से। इस भ्रम के निवारण के लिए उसे इस प्रकार (४. ६) लिखा जाने लगा। इसी प्रणाली का आधुनिक रूप (४०६) हो गया है। अब प्रश्न यह रह जाता है कि जो चिह्न शून्य के लिए निर्धारित किया गया उसीसे अज्ञात राशि का निरूपण क्यों किया गया। किसी प्रश्न के कथन में अज्ञात राशि ही ऐसी राशि है जो आरम्भ में भरी नहीं जा सकती। अतः वह एक ऐसी राशि है जिसका मान निकालकर रिक्त स्थान पर भरना है। इसीलिए जो बिन्दी रिक्ति के लिए निर्धारित की गयी उसी से अज्ञात राशि का काम भी लिया गया। किन्तु यह कहना गलत होगा कि ० को अज्ञात राशि के चिह्न के रूप में निश्चित कर दिया गया था जैसा कि डा० होर्नल और डा० के मान बैठे हैं। शून्य मुख्यतः 'रिक्त स्थान' के लिए ही निर्धारित था। अज्ञात राशि के लिए कोई निश्चित चिह्न था ही नहीं। ऐसा समझने के लिए हमारे पास दो कारण हैं—

(१) यदि ० वास्तव में अज्ञात राशि का चिह्न होता तो प्रश्नों के हल करने की क्रियाओं में अनेक स्थानों पर इसका प्रयोग होता। किन्तु समस्त हस्तलिपि में कहीं पर भी प्रश्न के कथन के पश्चात् ० का प्रयोग नहीं होता।

(२) कहीं कहीं उक्त चिह्न के बदले 'शून्य स्थान' लिखा गया है। देखिए भक्षाली II पृष्ठ १२५.

कुछ प्राचीन पुस्तकें इस प्रकार लिखी जाती थीं कि किसी भी पृष्ठयुग्म के दायें और बायें पन्ने पर एक ही संख्या पड़ती थी। इस पृष्ठयुग्म को अंग्रेज़ी में फ़ोलियो (Folio) कहते हैं। दाहिना पृष्ठ रेक्टो (Recto) और बायाँ पृष्ठ वर्सो (verso) कहलाता है। हम इन शब्दों के लिए निम्नलिखित समानकों (equivalents) का प्रयोग करेंगे—

Folio जोड़ी
Recto दायाँ
Verso बायाँ

यह शब्दावली हमने तबले की कला की शब्दावली से ली है। उपरिलिखित सन्दर्भ जोड़ी २५ बायें और २६ दायें पर आते हैं। पहले स्थान पर तो 'शून्य स्थान' ही लिखा हुआ है। दूसरे स्थान पर केवल 'शून्य' लिखा है, किन्तु उसके बाद के बहुत से शब्द नष्ट हो चुके हैं। अनुमान है कि वहाँ पर भी 'शून्य स्थान' ही होगा। ० का यह

प्रयोग भक्षाली हस्तलिपि में कोई निराला नहीं है। श्रीधर और भास्कर ने भी इस अर्थ में ० का प्रयोग किया है। श्रीधर की त्रिशतिका में पृष्ठों १९ और २९ पर इसके उदाहरण मिलते हैं। लीलावती के पृष्ठ २१५ पर यह उदाहरण आता है:—

कोई दाता पहले दिन तीन द्रम्म देकर, प्रति दिन दो द्रम्म की वृद्धि से देता रहा। इस प्रकार उस दाता ने तीन सौ साठ द्रम्म दिये। तो कितने दिन में ३६० द्रम्म दे चुका, यह बताओ।

न्यास : आदि ३, चय २, गच्छ ०, सर्वधन ३६०.

यह प्रश्न समान्तर श्रेढ़ी (Arithmetical Progression) का है और इसमें गच्छ (पदों की संख्या) निकालनी है जिसके लिए ० का प्रयोग किया गया है। श्रेढ़ी का प्रथम पद (First term) ३, सार्वान्तर (Common Difference) २ और पदों का योग (Sum of terms) ३६० दिये हुए हैं।

यों भास्कर के समय तक बीजगणित की संकेतलिपि काफ़ी विकसित हो चुकी थी, फिर आचार्य महोदय ने अज्ञात राशि के संकेत य का प्रयोग न करके ० का प्रयोग क्यों किया? कारण यह है कि उक्त प्रकार के प्रश्न लीलावती में अंकगणित की विधि से किये गये हैं और अंकगणित में बीजगणित के संकेतों का प्रयोग वर्जित है।

डा० होर्नल लिखते हैं[1] कि "समय की गति से शून्य का दूसरा प्रयोग (अज्ञात राशि वाला) भारत के बाहर के देशों में लुप्त हो गया और उसका प्रयोग स्थिति मान की दशमिक पद्धति की आदि संख्या के रूप में ही रह गया। उक्त चिह्न का दोहरा उपयोग भारत में कहीं कहीं पर अब भी दृष्टिगोचर होता है। यह तथ्य इस बात की पुष्टि करता है कि उक्त पद्धति की जननी भारत देश ही है।"

शब्दावली

भक्षाली हस्तलिपि के अधिकांश पारिभाषिक शब्द वही हैं जो अन्य हिन्दू ग्रन्थों में प्रयुक्त हुए हैं। किन्तु कुछ शब्दों में अन्तर भी है। हम यहाँ ऐसे शब्दों की सूची देते हैं।

हस्तलिपि का शब्द	अन्य ग्रन्थों का शब्द	अंग्रेजी समानक
वर्ग	श्रेढ़ी	Progression or Series
सदृशीकरण / हर साम्यकरण [2]	सवर्णन	Reduction to a denominator

१. The Bhakshali Manuscript–The Indian Antiquary XVII (1888) p. 35.

२. B. B. Dutt : The Bakhshali Mathematics–Bull. cal. Math. soc. XXI (1929) 1–60 p. 37.

स्थापना न्यास स्थापना	न्यास	Data, or the statement of a problem.

इस सूची में 'स्थापना' का शब्द महत्त्वपूर्ण है। मध्यकालीन समय में प्रायः सर्वथा इसके स्थान पर 'न्यास' का प्रयोग हुआ है। हस्तलिपि में कहीं पर 'स्थापना' का और कहीं पर 'न्यास स्थापना' प्रयुक्त हुआ है। इस तथ्य से यह निष्कर्ष निकलता है कि 'स्थापना' प्राचीन है। धीरे-धीरे इसके स्थान पर 'न्यास' का प्रयोग होने लगा। बीच के दिनों में एक समय ऐसा आया जब स्थापना का प्रयोग कम होने लगा और न्यास का प्रयोग बढ़ने लगा। ऐसे ही परिवर्तन युग में कदाचित् भक्षाली गणित का प्रादुर्भाव हुआ।

'सवर्णन' पर भी विचार कीजिए। आर्यभट्ट के समय (३९९ ई०) से पिछली कई शताब्दियों तक बराबर 'सवर्णन' का प्रयोग होता रहा है। किन्तु भक्षाली हस्तलिपि में यह शब्द केवल एक स्थान पर आया है। इससे यह प्रमाणित होता है कि भक्षाली हस्तलिपि आर्यभट्ट के समय से पहले की है। इसका अर्थ यह हुआ कि हस्तलिपि सम्भवतः तीसरी या चौथी शताब्दी ई० की है।

भक्षाली पाण्डुलिपि में कई ऐसे शब्द भी प्रयुक्त हुए हैं जो और किसी भी प्राचीन हिन्दू ग्रन्थ में नहीं पाये जाते।

शब्द	अर्थ	अंग्रेजी समानक
पर्थ	श्रेणी	Series
धान्त	क्षेप, क़िस्त	Instalment
प्रवृत्ति	मूल धन	Original amount
क्रम	अनुक्रम	Sequence

किन्तु एक बात में भक्षाली पाण्डुलिपि और अन्य ग्रन्थों में समानता है। शब्दों के प्रथमाक्षरों का प्रयोग शब्दों की संक्षिप्तिकाओं (Abbreviations) के रूप में किया गया है। इसका एक सुन्दर उदाहरण जोड़ी २७ बायें में मिलता है—

९ प्र ७ द्वि	७ द्वि १० तृ	१० तृ ८ च	८ च ११ पं	११ पं ९ प्र

युतं जातं प्रत्येकं	१६	१७	१८	१९	२०

इस प्रश्न में पाँच अज्ञात राशियां हैं। प्र, द्वि, तृ, च, पं क्रमशः प्रथम, द्वितीय, तृतीय, चतुर्थ, पंचम की संक्षिप्तिकाएँ हैं। प्रश्न में निम्नलिखित पाँच समीकरण दिये हुए हैं—

$\text{य}_{१}+\text{य}_{२}=\text{१६}$, $\text{य}_{२}+\text{य}_{३}=\text{१७}$, $\text{य}_{३}+\text{य}_{४}=\text{१८}$,
$\text{य}_{४}+\text{य}_{५}=\text{१९}$, $\text{य}_{५}+\text{य}^{१}=\text{२०}$

हस्तलिपि की विषयवस्तु (Contents)

हस्तलिपि की विषयवस्तु के विषय में डा० होर्नल ने अपने उपरिलिखित लेख के पृ० ३३ पर लिखा है—

पुस्तक का विषय अंकगणित है। पुस्तक में दैनिक जीवन सम्बन्धी बहुत से प्रश्न दिये हुए हैं। यहाँ कुछ उदाहरण दिये जाते हैं—

(१) एक गाड़ी में १० के बदले ५ घोड़े जोते गये हैं। १० घोड़े मिलकर १०० (योजन) चले जाते थे। ५ घोड़े कितनी दूर जा सकेंगे?

(२) दूसरा उदाहरण जटिल है—

एक व्यक्ति पहले दिन ५ योजन चलता है और फिर प्रत्येक दिन (पिछले दिन से) ३ योजन अधिक चलता है। एक दूसरा व्यक्ति उससे ५ दिन पहले चलता है और प्रति दिन ७ योजन चलता है। कितने समय पश्चात् दोनों मिलेंगे?

(३) यह प्रश्न और भी जटिल है—

तीन व्यापारियों में से एक के पास ७ घोड़े हैं, दूसरे के पास ९ खच्चर और तीसरे के पास १० ऊँट। उनमें से प्रत्येक इस शर्त पर ३ पशु दे देता है कि इन पशुओं को तीनों में इस प्रकार बराबर बराबर बाँटा जाय कि अन्त में तीनों की सम्पत्ति समान हो जाय। प्रत्येक व्यापारी की मौलिक सम्पत्ति कितनी थी और प्रत्येक पशु का क्या मूल्य था?

इन प्रश्नों को हल करने के जो नियम दिये गये हैं उनकी विधि बिलकुल यान्त्रिक है और उसमें विचार करने की बहुत कम आवश्यकता पड़ती है। अन्तिम प्रश्न का हल इस प्रकार है—

"दान के पशुओं की संख्या (३) को प्रत्येक व्यापारी के पशुधन की संख्या (७,९, १०) में से घटाओ। तीनों शेषों (४, ६, ७) को गुणा करो। गुणनफल १६८ आया। इस गुणनफल को क्रमशः तीनों शेषों से भाग दो—

$\frac{\text{१६८}}{\text{४}}=\text{४२}$; $\frac{\text{१६८}}{\text{६}}=\text{२८}$; $\frac{\text{१६८}}{\text{७}}=\text{२४}$.

अब तीनों पशुओं का मूल्य आ गया—

१ घोड़े का मूल्य = ४२

१ खच्चर ,, = २८

१ ऊँट ,, = २४

इस प्रकार तीनों की सम्पत्ति के मौलिक मान

४२× ७=२९४,

२८× ९=२५२,

२४×१०=२४०

हुए। दान के पश्चात् उनकी सम्पत्तियाँ बराबर हो गयीं क्योंकि

४२×४=१६८,

२८×६=१६८,

२४×७=१६८

तत्पश्चात् तीनों को दान के पशुओं में से १ घोड़ा, १ खच्चर, १ ऊँट मिला जिनका मूल्य=४२+२८+२४=९४.

अत:, अन्त में तीनों के पास १६८+९४ अर्थात् २६२ मूल्य की सम्पत्ति हो गयी।

नियम बहुत ही सुमित भाषा में दिये गये हैं और उदाहरणों द्वारा समझाये गये हैं। प्रत्येक सूत्र के पश्चात् साधारणतया दो उदाहरण और कहीं कहीं पर अनेक उदाहरण दिये गये हैं। २५ वें सूत्र पर तो १५ उदाहरण दिये गये हैं।

प्रगट रूप से भक्षाली हस्तलिपि का विषय अंकगणित है, किन्तु प्रश्नों के हल इतने व्यापक रूपों में दिये गये हैं कि उन्हें बीजगणितीय हल कहना अधिक उपयुक्त होगा, यद्यपि कहीं पर भी बीजगणितीय संकेतलिपि का प्रयोग नहीं किया गया है। नियम इतनी सूत्रिक भाषा में दिये गये हैं कि यदि उनके पश्चयात् उदाहरण न दिये गये होते तो उनका अर्थ समझना भी कठिन हो जाता। उदाहरणों के अन्त में उनकी उपपत्तियाँ अथवा सत्यापन विस्तारपूर्वक दिये गये हैं।

हस्तलिपि में तीन प्रकार के प्रश्न दिये गये हैं–अंकगणितीय, बीजगणितीय और ज्यामितीय। किन्तु ज्यामितीय प्रश्न तो बहुत ही कम है। यह सम्भव है कि हस्तलिपि का जो अंश नष्ट हो चुका है उसमें और भी ज्यामितीय प्रश्न रहे हों। किन्तु इस आधार पर प्रश्नों का विभाजन सुनिश्चित रूप से नहीं किया जा सकता क्योंकि कुछ प्रश्नों के विषय में यह कहना कठिन है कि वे तीनों में से कौन से क्षेत्र के है। उनमें दो और कभी-कभी तीनों क्षेत्र समाविष्ट दिखाई पड़ते हैं। कृति के भागों का विभाजन इस प्रकार किया जाय तो अच्छा है—(क) विद्योचित (ख) व्यापारिक (ग) विविध।

व्यापारिक प्रश्न बहुत थोड़े हैं। हानि-लाभ के प्रश्न एक छोटे से अंश में हैं और ब्याज पर केवल एक प्रश्न है। विविध प्रश्न प्राचीन हिन्दू संस्कृति से सम्बद्ध हैं। कुछ प्रश्न सीता, राम और रामायण के अन्य पात्रों पर हैं, कुछ शिव, पार्वती पर, कुछ सूर्य देव के रथ इत्यादि पर।

पाठकों और गवेषकों की सुविधा के लिए हस्तलिपि की विषयवस्तु को कई विभागों में बाँटा गया है जिन्हें रोमन वर्णों से निरूपित किया गया है—

(१) वर्ग मूल (Square Roots) C
(२) एकघात समीकरण (Linear Equations) A
(३) विशेष प्रश्न G
(४) वर्ग समीकरण (Quadratic Equations) C
(५) समान्तर श्रेढ़ियाँ (Arithmetical Progressions) B और C
(६) द्विघात अनिर्णीत समीकरण (Indeterminate Quadratic Equations) A और K
(७) मिश्र श्रेणियाँ (Compound Series) F
(८) सुवर्ण गणित (Computations relating to gold) H
(९) आय-व्यय, हानि-लाभ L, D, और E
(१०) विविध प्रश्न M

इनके अतिरिक्त कुछ प्रश्न मापिकी पर भी दिये गये हैं। हम यहाँ हस्तलिपि की विषयवस्तु के कुछ नमूने देते हैं।

पाठ के नमूने

(क) वर्ग मूल आदि

(१) हस्तलिपि में कुछ प्रश्न ऐसे दिये गये हैं जिनमें समान्तर श्रेढ़ी, वर्ग-मूल और वर्ग-समीकरण में से दो या तीनों प्रकरणों का समावेश हो जाता है।

(१) जोड़ी ७ बायाँ[1]

आ ३	उ ४	प०	नित्यदत्त ७
१	१	१	१

१. भक्षाली III पृ० १७४।

आदि विशोध्य......आदि | ३ | नियतं | ७ | विशोध्य | ४ |
उत्तरार्धेन भाजितं। उत्तरं | ४ | अनेन भाजितं | ४ २ | जातम | २ |

लब्धं सरूप एष रुपाधिकं | ३ | एष काल........

| आ ३ १ | उ ४ १ | प ३ १ | रूपोण करणेन फलं रू २१

इसके पश्चात् उक्त नियम का सत्यापन और एक उदाहरण दिया गया है।

उक्त प्रश्न में एक समान्तर श्रेढ़ी दी गयी है जिसमें

प्रथम पद=३, सार्वान्तर=४, सर्वधन=७×(गच्छ).

तो गच्छ (पदों की संख्या) निकालनी है।

कार्य विधि इस प्रकार की प्रतीत होती है:

यदि गच्छ=ग तो

$$७ ग = \left[(ग - १)\frac{४}{२} + ३ \right] ग,$$

अर्थात् $७ = (ग-१) . २ + ३ \qquad \therefore ग = ३.$

अतः सर्वधन=२१.

उक्त प्रश्न में यह सूत्र निहित दिखाई पड़ता है—

$$सर्वधन = गच्छ \left[(गच्छ - १)\frac{चय}{२} + आदि \right].$$

यदि सर्वधन=स, गच्छ=ग, चय=च, आदि=अ रखें तो सूत्र का यह रूप हो जायगा —

$$स = ग \left[(ग-१)\frac{च}{२} + अ \right].$$

यह सूत्र समान्तर श्रेढ़ी के योग के आधुनिक सूत्र से पूरा पूरा मेल खाता है। इस सूत्र से वर्ग समीकरण

$$च स^२ + (२ अ - च) स - २ स = ०$$

प्राप्त होता है।

इस समीकरण को हल करने से

$$स = \frac{-(२ अ - च) + \sqrt{(२ अ - च)^२ + ८ च स}}{२ च}।$$

भक्षाली हस्तलिपि में यह सूत्र स्पष्ट रूप से नहीं दिया गया है, किन्तु इसका प्रयोग कई स्थानों पर हुआ है, जैसे इस प्रश्न में—

(२) जोड़ी ५७ बायाँ और दायाँ

अष्टोत्तरघ्ने गुणिते | ४० | द्विघ्नम आदि च........

निक्षिप्य | ४१ | मूलं | ६ ५ ६ | शेषच्छेदो द्विसंगुण...........

शुद्ध तस्मात्

अकृति श्लिष्ट कृत्यूना शेषच्छेदो द्विसंगुणः

तद् वर्ग दल संश्लिष्टः हृति शुद्धि कृति क्षयः

अकृति श्लिष्ट.........तद् द्विसंगुण कृत

६ ५ १२	तद् वर्गतं १२	६ ५ १२	२५ १४४	दल .....

२५ १८४८	....	११८३३ १८४८	हृ	१८४८	कृतिक्षय कृतिम्

एष मूलम् ॥ तन्मूलम्......मूलं एकं १ एष सदृशे पतित

जाता | ९९८५ / १८४८ | ......समभक्तं उत्तरम् द्विगुणं २ अनेन

भक्त्वा | ९९८५ / १८४८ | एष पंच कस्य पदम् ॥ अस्यप्र..........

सूत्रम ॥ एको राशि द्विच्या स्थायश चय से

प्रश्न के आरम्भ का भाग नष्ट हो चुका है। डा० के ने उसकी पूर्ति इस प्रकार की है—

अ=१, च=१, स=५.

$$\text{अतः स} = \frac{\sqrt{(२\text{अ}-\text{च})^२+८\,\text{च}\,\text{स}} - (२\text{अ}-\text{च})}{२\,\text{च}}$$

$$= \frac{१}{२}\left[\sqrt{(२-१)^२+८.\,१.\,५} - (२-१)\right] = \frac{\sqrt{४१}-१}{२}$$

करणी $\sqrt{४१}$ का प्रथम सन्निकटन (Approximation) निकालने के लिए इस सूत्र

$$\sqrt{\text{क}^२+\text{ख}} = \text{क}+\frac{\text{ख}}{२\,\text{क}}$$

का प्रयोग किया गया है।

इस प्रकार

$$\sqrt{४१}=\sqrt{३६+५}=६+\frac{५}{१२}=\frac{७७}{१२}.$$

द्वितीय सन्निकटन का सूत्र उपरिलिखित उदाहरण में निहित है। "अक्कृति श्लिष्ट ......कृति क्षय" वाले अंश का निर्वचन डा० दत्त ने इस प्रकार किया है—

'अवर्ग संख्या के मूल का निकट मान निकालने के लिए समीपतम वर्ग संख्या को घटाओ। शेष को उक्त संख्या के मूल के दुगुने से भाग दो। इस भिन्न के वर्ग के आधे को मूल और भिन्न के जोड़ से भाग दो। लब्ध संख्या को घटा दो। तो मूल का निकट मान, वर्ग संख्या से हीन, निकल आयेगा।"[१]

इस सूत्र के अनुसार,

$$\sqrt{क^{२}+ख}-क=\frac{ख}{२क}-\frac{\left(\frac{ख}{२क}\right)^{२}}{२\left(क+\frac{ख}{२क}\right)}.$$

इस प्रकार

$$\sqrt{४१}=\sqrt{६^{२}+५}=६+\frac{५}{१२}-\frac{\left(\frac{५}{१२}\right)^{२}}{२\left(६+\frac{५}{१२}\right)}$$

$$=६+\frac{५}{१२}-\frac{२५}{१४४}\times\frac{६}{७७}=\frac{११८३३}{१८४८}.$$

और हस्तलिपि के पाठ में यही मान दिया भी है।

$$\text{अतः } ग=\frac{१}{२}(\sqrt{४१}-१)=\frac{१}{२}\left(\frac{११८३३}{१८४८}-१\right)$$

$$=\frac{१}{२}\cdot\frac{९९८५}{१८४८}=\frac{९९८५}{३६९६}$$

वर्ग मूल के इस सूत्र के अन्य प्रयोगों के लिए देखिए—

(क) जोड़ी ४५ दायाँ—

$$\sqrt{१०५}=\sqrt{१००+५}=१०+\frac{१}{४}-\frac{\left(\frac{१}{४}\right)^{२}}{२\left(१०+\frac{१}{४}\right)}=\frac{३३६१}{३२८}$$

(ख) जोड़ी ५६ दायाँ और जोड़ी ६५ दायाँ—

$$\sqrt{४८१}=\sqrt{४४१+४०}=२१+\frac{२०}{२१}-\frac{\left(\frac{२०}{२१}\right)^{२}}{२\left(२१+\frac{२०}{२१}\right)}$$

१. B. B. Dutt—ibid p. II

(ग) जोड़ी ४५ बायाँ और ४६ दायाँ—

$$\sqrt{३३६००९} = \sqrt{५७९^{२} + ७६८}$$

$$= ५७९ + \frac{३८४}{५७९} - \frac{\left(\frac{३८४}{५७९}\right)^{२}}{२\left(५७९ + \frac{३८४}{५७९}\right)}$$

डा० के ने वर्ग मूल के सूत्र का कुछ दूसरा ही अर्थ दिया है। कदाचित् वह उसका ठीक ठीक आशय नहीं समझ पाये। हमें डा० दत्त वाला निर्वचन ही उपयुक्त जान पड़ता है।

(ख) मिश्र श्रेणियाँ

हम जान चुके हैं कि भक्षाली गणितज्ञ समान्तर श्रेढ़ी के नियमों से भली भाँति परिचित थे। वे लोग ज्यामितीय श्रेणी से भी अनभिज्ञ नहीं थे। इतना ही नहीं, समान्तर-ज्यामितीय श्रेणियों का योग निकालना भी जानते थे। इनमें से कुछ के अभिदेश (References) इस प्रकार हैं—

(i) **जोड़ी २२ बायाँ**—इसमें इस प्रकार की श्रेणी का प्रयोग है—

$प + २\,प + ३\,प + ४\,प + \ldots\ldots\ldots ग\,प$।

(ii) मान लीजिए कि हम किसी श्रेणी के विभिन्न पदों को $प_{१}, प_{२}, प_{३}, \ldots\ldots$ से निरूपित करते हैं। तो २३ दायें में इस प्रकार की श्रेणी आती है—

$प_{१} + २\,प_{१} + ३\,प_{२} + ४\,प_{३} + \ldots\ldots ग\,प_{ग-१}$।

(iii) २३ बायें में इस प्रकार की श्रेणी का प्रयोग आता है—

$प_{१} + २\,प_{१} + ३\,(प_{१} + प_{२}) + ४\,(प_{१} + प_{२} + प_{३}) + \ldots\ldots$

इस प्रकार की श्रेणी को **'युति वर्ग क्रम'** कहा गया है।

हम उक्त प्रश्न को विस्तार पूर्वक देते हैं[1]—

..........कृत्वा चतुर्थं............

...............प्रथमस्य तु किं भवेत्

०	२	१	३	३	१२	४	द्व ३००
१	१	१	१	१	१	१	१

कामिकं शून्य पिन्यस्तं कामिकं १ ॥ एष न्यस्तं....

तदा चैव क्रमेण गुणितं । १ । २ । ९ । ४८ । एषां

1: भक्षाली III १९४

यु. |६०| अनेन दृश्यं भाजितं | $\frac{१}{६०}$ | $\frac{३००}{१}$ | जाता |५|

ए. . . . . . . .अनेन क्षेपं गुणये । ५ । १० । ४५ । २४० ।

. . . . .युति वर्ग गणितं ॥

इस श्लोक में 'कामिक' का वही अर्थ है जो प्राचीन पुस्तकों में 'इच्छा' अथवा 'यदृच्छा' का होता था। कुछ गणितज्ञों ने इसी के लिए 'इष्ट' का प्रयोग किया था।

उपरिलिखित उदाहरण को हम अपने शब्दों में इस प्रकार लिखते हैं—

एक राजा चार व्यक्तियों में ३०० दीनार बाँटता है। वह जितने दीनार पहले व्यक्ति को देता है उससे दुगुने दूसरे को देता है। जितने पहले दोनों व्यक्तियों को मिलाकर देता है, उससे तिगुने तीसरे व्यक्ति को देता है। उसने इस प्रकार जितने दीनार पहले तीन व्यक्तियों को दिये, उसके चौगुने दीनार चौथे को दिये। और तब समस्त दीनार समाप्त हो गये। उसने प्रत्येक को कितने दीनार दिये ?

स्पष्ट है कि

$$प_1 + २\,प_1 + ३\,(प_1 + प_2) + ४\,(प_1 + प_2 + प_3 + प_4) = ३००.$$

भक्षाली गणित की विधि के अनुसार यदि $प_1 = १$ रखें तो हमें बायीं ओर हस्तगत हुआ—

$$१ + २ + ९ + ४८ \text{ अर्थात् } ६०.$$

$$\text{इस प्रकार } प_1 = \frac{३००}{६०} = ५.$$

अतः पहले व्यक्ति को ५ दीनार मिले। तो शेष तीनों व्यक्तियों को क्रमशः १०, ४५ और २४० दीनार मिले।

(iv) **२५ बायाँ और २६ दायाँ—**

$$प_1 + (२\,प_1 \pm फ) + \{३\,प_1 \pm (फ + ब)\} + \{४\,प_1 \pm (फ + २\,ब)\} + \ldots\ldots$$

(v) **२४ दायाँ—**

$$प_1 + (२\,प_1 + फ) + \{३\,प_2 + (फ + ब)\} + \{४\,प_3 + (फ + २\,ब)\} + \ldots\ldots$$

(vi) **२४ बायाँ—**

$$प_1 + (२\,प_1 \pm फ) + \{३(प_1 + प_2) \pm (फ \pm ब)\}$$
$$+ \{४\,(प_1 + प_2 + प_3) \pm (फ \pm २\,ब)\} + \ldots\ldots$$

इस प्रकार की श्रेणी का नाम **'युतगुणित युतक्रम'** है।

(vii) **५१ दायाँ और बायाँ**—इन पृष्ठों में दो उदाहरण दिये गये हैं जिनमें समान्तर ज्यामितीय श्रेढ़ियों का प्रयोग किया गया है। हम बायें पृष्ठ की सामग्री यहाँ देते हैं—

					दृ ३२९
१	३	९	२७	८१	१

करणम। उत्तर......तत्रोत्तर राशिनां योग ८७ एष धना दृश्या शोधनीया जाता २४२.........। पुरुष। १ । ३ । ९ । २७ । ८१ ।

योग १२१ अनेन.........जाता | २ | एष द्वौ प्रथमस्य धनम्

२ । ६ । १८ । ५४ ।१६२ उत्तर राशि संयुतं जातं

२	१५	४८	१४७	४४४
१	२	२	२	२

एषां

आधुनिक संकेतलिपि में हम इस उदाहरण को इस प्रकार लिख सकते हैं—

$$प_1+३\,प_1+३^2\,प_1+३^3\,प_1+३^4\,प_1$$
$$+\tfrac{३}{४}\,[प_1+(प_1+प_2)+(प_1+प_2+प_3)$$
$$+(प_1+प_2+प_3+प_4)\,]=३२९.$$

भक्षाली गणित की विधि के अनुसार $प_1=२$ रखने से पहली श्रेणी

$$=२+६+१८+५४+१६२=२४२$$

$\therefore$ दूसरी श्रेणी का योग$=३२९-२४२=८७$,

अर्थात् $प_1+(प_1+प_2)+(प_1+प_2+प_3)+(प_1+प_2+प_3+प_4)=११६$

वाम पक्ष $=२+(२+६)+(२+६+१८)+(२+६+१८+५४)$

$$=२+८+२६+८०=११६\,।$$

$\therefore$ हमारा अनुमान $प_1=२$ ठीक ही निकला। यदि वाम पक्ष का योग ११६ के स्थान पर और कुछ होता तो उससे ऐकिक नियम के अनुसार ११६ को भाग दे देते जैसा पिछले दो एक उदाहरणों में हम कर भी चुके हैं।

प्रश्न से स्पष्ट है कि

$प_2=३प_1,\quad प_3=३^2\,प_1,\quad प_4=३^3\,प_1.$

अब यदि हम दिये हुए प्रश्न को इस प्रकार लिखें—

$$\text{प}_1 + (३\,\text{प}_1 + \tfrac{3}{4}\,\text{प}_1) + \{३^2\,\text{प}_1 + \tfrac{3}{4}\,(\text{प}_1 + \text{प}_2)\}$$
$$+ \{३^3\,\text{प}_1 + (\text{प}_1 + \text{प}_2 + \text{प}_3)\} + \{३^4\,\text{प}_1 + (\text{प}_1 + \text{प}_2 + \text{प}_3 + \text{प}_4)\} = ३२९,$$

तो हमें हस्तगत होगा—

$$\text{प}_1 = २,$$
$$३\,\text{प}_1 + \tfrac{3}{4}\,\text{प}_1 = ६ + \tfrac{३}{२} = \tfrac{१५}{२},$$
$$३^2\,\text{प}_1 + \tfrac{3}{4}\,(\text{प}_1 + \text{प}_2) = १८ + \tfrac{3}{4}.\,८ = २४ = \tfrac{४८}{२},$$
$$३^3\,\text{प}_1 + \tfrac{3}{4}\,(\text{प}_1 + \text{प}_2 + \text{प}_3) = ५४ + \tfrac{3}{4}.\,२६ = ५४ + \tfrac{३९}{२} = \tfrac{१४७}{२},$$
$$३^4\,\text{प}_1 + \tfrac{3}{4}\,(\text{प}_1 + \text{प}_2 + \text{प}_3 + \text{प}_4) = १६२ + \tfrac{3}{4}.\,८० = १६२ + ६०$$
$$= २२२ = \tfrac{४४४}{२}.$$

और इस प्रकार उदाहरण के अन्त में दिये हुए भिन्नों का अर्थ स्पष्ट हो जाता है।

स्पष्ट है कि उपरिलिखित उदाहरण में इस प्रकार की समान्तर-ज्यामितीय श्रेढ़ी का प्रयोग हुआ है—

$$\text{प} + (\text{च}\,\text{प} + \text{प}\,\text{न}) + \{\text{च}\,(\text{प} + \text{प}\,\text{न}) + \text{प}\,\text{न}^2\}$$
$$+ \{\text{च}\,(\text{प} + \text{प}\,\text{न} + \text{प}\,\text{न}^2) + \text{प}\,\text{न}^3\} + \ldots\ldots\ldots\ldots$$

(ग) द्विघात अनिर्णीत समीकरण

(i) ५९ दायाँ—

"वह कौन सी संख्या है जिसमें ५ जोड़ने से अथवा जिसमें से ७ घटाने से पूर्ण वर्ग प्राप्त होता है ?"[1]

हमें हस्तगत है—

$$\text{य} + ५ = \text{ट}^2 \quad \text{और} \quad \text{य} - ७ = \text{ठ}^2\ ।$$

हल—जोड़ी और घटायी हुई संख्याओं को जोड़ो।

$$५ + ७ = १२.$$

जोड़ को आधा करो, तो ६ प्राप्त हुआ।

२ घटाने से ४ हस्तगत हुआ।

इसका आधा २ हुआ।

इसका वर्ग ४ हुआ।

इसमें वियोज्य ७ को जोड़ो।

इस प्रकार ११ प्राप्त हुआ। यही उत्तर हुआ।

१. भक्षाली III २१५।

जाँच करने से यह उत्तर ठीक दिखाई पड़ता है क्योंकि

११+५=१६, पूर्ण वर्ग

और ११—७=४, पूर्ण वर्ग ।

अब हम उक्त उदाहरण का पाठ देते हैं जिसे पढ़ने से उपरिलिखित प्रत्येक पग स्पष्ट हो जायगा।

।। को राशि पंच युता मूलादः सा राशिस सप्त हीन मूलद को सो राशिर इति प्रश्नः।

०	५	यु	मू	०	सा	०	७+	मू	०
१	१			१		१	१		१

करणम। युत हीनं चमेकत्वं १२ तद दलम् ६ द्वि हृणम् ४ दलं २ वर्गं ४ हीन युतिम् च कर्तव्या। हीनं ७+अनेन युति ११ एष सा राशि।। अस्य प्रत्यानयं क्रियते

११	यु	५	मू	४	११	७+	मू	२
१		१		१	१	१		१

पंचाशं सूत्रम ५०

सूत्रम्। गवां विशेष कर्तव्यं घनं चैव पुन.........

उपरिलिखित उदाहरण में इस प्रकार के समीकरणों का अध्ययन किया गया है—

$य+क=ट^2$, $य-ख=ठ^2$ ।

यदि ग कोई पूर्णांक हो तो इन समीकरणों का हल

$$य=\left\{\frac{1}{2}\left(\frac{क+ख}{ग}-ग\right)\right\}^2+ग$$

होगा। य का यह मान लेने से (य+क) और (य—ख) दोनों पूर्ण वर्ग हो जाते हैं। उपरिलिखित उदाहरण में ग=२ लिया गया है। भक्षाली हस्तलिपि में केवल उपरिलिखित विशिष्ट समीकरण हल किये गये हैं।[1] सार्विक समीकरणों को हल करने की विधि नहीं दी गयी है।

(ii) २७ दायाँ—

करणं। पृथक रूपं विनिक्षिप्य। पृथक रूपं क्षिप्तं जातम्.........भ्यासो तत्र गुण | ३ | ४ | अभ्यासं | १२ | रूपहीनं १.......अभ्यासा चतु पंचका। अत्र क्षिप्तं जातं | १५ | १६ | एष त्रिगुण......ता मूल......नि चतु पंचा | ५ | ४ | एष[2]

१. देखिए, भक्षाली I पृ० ४२। २. भक्षाली III १६७।

आधुनिक संकेतलिपि में यह प्रश्न इस प्रकार लिखा जायगा—

$$य\,र - ३\,य - ४\,र \pm १ = ०.$$

हल, $$य\,(र - ३) = ४\,र \mp १.$$

अतः यदि र=३+म रखें जिसमें म कोई भी राशि है, तो

$$र = ३ + म$$

और $$य = \frac{४\,(३+म) \mp १}{म} = \frac{४.३ \mp १}{म} + ४.$$

म=१ रखने से, र=४, य=(११ अथवा १३)+४.

अतः धन चिह्न वाले समीकरण का हल हुआ १५, ४

और ऋण चिह्न वाले समीकरण का हल हुआ १७, ४.

म को अन्य मान देने से अनेक अन्य हल निकल सकते हैं।

एक दूसरे रूप में हल इस प्रकार भी निकल सकता है—

$$(य - ४)\,र = ३\,य \mp १,$$

अतः, य=४+म रखने से,

$$र = \frac{३\,(४+म) \mp १}{म} = \frac{३.४ \mp १}{म} + ३.$$

म=१ लेने से, य=५, र=(११ अथवा १३)+३.

अतः धन चिह्न वाले समीकरण का हल यह हुआ : ५, १४, और ऋण चिह्न वाले समीकरण का हल यह हुआ : ५, १६

उक्त समीकरण सार्विक समीकरण

$$य\,र - क\,य - ख\,र - ग = ०$$

के विशिष्ट रूप हैं जिनके हल ये हैं—

$$य = \frac{क\,ख + ग}{म} + ख, \quad र = क + म,$$

अथवा $$य = ख + म, \quad र = \frac{क\,ख + ग}{म} + क\,।$$

भक्षाली हस्तलिपि एक टीका है

डा० होर्नल लिखते हैं कि "भक्षाली हस्तलिपि का रचना काल और **भक्षाली गणित** का प्रादुर्भाव काल दो भिन्न-भिन्न वस्तुएँ हैं। हमारा विचार है कि भक्षाली

गणित उक्त हस्तलिपि से बहुत प्राचीन है। हमें विश्वास है कि भक्षाली गणित का आरम्भ सन् ईस्वी की प्रारम्भिक शताब्दियों में हुआ था। सम्भव है कि तीसरी अथवा चौथी शताब्दी में हुआ हो।"[१]

किन्तु डा० के का मत इससे बिलकुल भिन्न है। उन्होंने लिखा है कि "हमारे पास इस बात का कोई समुचित प्रमाण नहीं है कि भक्षाली गणित उक्त हस्तलिपि से पुराना है।"[२]

'उक्त कथन से सम्बद्ध पाद टिप्पणी में डा० के लिखते हैं कि "हस्तलिपि किसी अन्य मौलिक कृति की नक़ल नहीं है। किन्तु वह कई लेखकों द्वारा लिखी गयी है। उसमें अन्तर्निदेश (cross-references) हैं। एक स्थान पर एक सूत्र की संख्या ग़लत डाली गयी थी और उस ग़लती का संशोधन एक विभिन्न लिखावट में किया गया है।" डा० के इस बात को भूल गये कि उपरिलिखित वक्तव्य का पहला अंश अन्तिम अंश से मेल नहीं खाता।

डा० दत्त का विचार है कि हस्तलिपि एक प्राचीन ग्रन्थ की प्रतिलिपि है और यह समझने के लिए उनके पास पर्याप्त प्रमाण हैं। गणित के प्राचीन हिन्दू ग्रन्थ प्रायः अव्यवस्थित रूप से लिखे जाते थे। हमने पिछले अध्यायों में कई उदाहरण दिये हैं जिनमें एक ही ग्रन्थ में अंकगणित, बीजगणित और रेखागणित के प्रकरण दिये हुए हैं और वह भी इस प्रकार कि ग्रन्थ को उक्त भागों में बाँटना भी कठिन हो जाता है। कहीं कहीं पर तो एक ही साधित प्रश्न में गणित की अनेक शाखाओं का सम्मिश्रण मिलता है। इतना ही नहीं, प्राचीन समय में ऐसे ग्रन्थ भी लिखे गये हैं जिन में केवल गणित के बहुत से सूत्रों को एक साथ बिना किसी क्रम के भर दिया गया है।

अब मान लीजिए कि कोई व्यक्ति किसी पुराने ग्रन्थ पर टीका लिख रहा है। वह देखता है कि § १२ में एक ऐसे सूत्र का प्रयोग किया गया है जो § २७ में आता है। तो या तो वह टीका करते समय प्रकरणों का क्रम बदल देगा या दोनों स्थानों पर अन्तर्निदेश दे देगा। प्रायः टीकाकार मौलिक ग्रन्थ में अत्यधिक परिवर्तन करना नहीं चाहते। अतः वे अन्तर्निदेश देकर ही सन्तोष कर लेते हैं। अब तनिक जोड़ी ३ दायें के इस पद पर विचार कीजिए—

सप्तं पत्रे भिलिखित स्थित[३]

अर्थ—"सातवें पृष्ठ पर लिखा हुआ है।"

१. होर्नल: वही पृ० ३६। २. भक्षाली § १२२।

३. भक्षाली III १७१।

इसका तात्पर्य यह हुआ कि जिस सूत्र का प्रयोग हम कर रहे हैं, वह सातवें पृष्ठ पर मिलेगा। उपरिलिखित वाक्य १४ वें सूत्र में आता है और तीसरे पृष्ठ पर दिया हुआ है। अतः लेखक तीसरे पृष्ठ पर ऐसे सूत्र का प्रयोग कर रहा है जो अभी तक प्रतिपादित ही नहीं हुआ है।

कभी कभी लेखकों से ऐसी भूल भी हो जाया करती है। किन्तु एक और उदाहरण लीजिए—

हस्तलिपि का १० वाँ सूत्र जोड़ी १ दायें पर दिया हुआ है। उक्त प्रकरण में यह वाक्य आता है—

एवं सूत्रं ॥ द्वितीय पत्रे विवरितस्ति

अर्थ—इस सूत्र का विवरण दूसरे पृष्ठ पर दिया हुआ है।

यहाँ भी उसी प्रकार की भूल है। इनके अतिरिक्त इसी प्रकार की भूलों के और भी उदाहरण दिये जा सकते हैं। जैसे जोड़ी ४ बायें पर यह पद आता है—

सूत्रे भ्रान्तिम अस्ति

अर्थ—सूत्र भ्रमोत्पादक है।

इन तथ्यों से केवल एक ही निष्कर्ष निकलता है कि हस्तलिपि किसी टीकाकार की कृति है।

एक बात और भी है। हस्तलिपि का लिखने का ढंग भी ऐसा है जो साधारणतया मौलिक ग्रन्थों में नहीं अपनाया जाता। एक बात को कई कई उदाहरणों द्वारा समझाया गया है। कहीं कहीं पर पदों की व्याख्या की गयी है, पारिभाषिक शब्दों का स्पष्टीकरण किया गया है। प्रश्नों के हल विस्तारपूर्वक दिये गये हैं, छोटी-छोटी और सरल बातों को भी विस्तृत ढंग से समझाया गया है। कहीं कहीं पर तो पुनरावृत्ति भी हो गयी है। यह सब तथ्य इस बात की ओर इंगित करते हैं कि हस्तलिपि किसी मौलिक ग्रन्थ की सहगामी टीका (Running commentary) है। सबसे अकाट्य प्रमाण तो उपरिलिखित वाक्य है। क्या कोई भी लेखक अपनी ही लेखनी के विषय में यह लिखेगा कि "सूत्र भ्रमोत्पादक है।" यदि उक्त वाक्य का यह अर्थ लगाया जाय कि "सूत्र ग़लत है" तो क्या कोई लेखक जब अपनी ही कृति को दुहरायेगा और देखेगा कि वह एक सूत्र ग़लत लिख गया है तो केवल इतना लिख कर छोड़ देगा कि "सूत्र ग़लत है।" कदापि नहीं। वह उक्त सूत्र को काट कर यथार्थ सूत्र लिख कर ही चैन की साँस लेगा।

ऐसा प्रतीत होता है कि उक्त हस्तलिपि एक पुरानी टीका की नक़ल है और नक़ल भी किसी एक ही लेखक ने नहीं की है, वरन् कई लेखकों ने, क्योंकि डा० के के

अनुसार भी हस्तलिपि में चार पाँच प्रकार की लिखावट दिखाई पड़ती है। अब तनिक जोड़ी ४ बायें के चित्र पर विचार कीजिए जो भक्षाली II के प्लेट IV में दिया हुआ है। उसी में यह वाक्य आता है——सूत्रे भ्रान्तिम अस्ति, जिसका हम ऊपर उल्लेख कर चुके हैं। पहली बात तो यह है कि यह वाक्य भी उसी लिखावट में लिखा हुआ है जिसमें उक्त पूरा पृष्ठ, जिससे सिद्ध होता है कि उक्त टिप्पणी का लेखक वही है जो सारे पृष्ठ का। दूसरी बात यह है कि यदि कोई व्यक्ति किसी अन्य लेखक की कृति में पंक्तियों के बीच में कोई टिप्पणी लिखेगा तो स्पष्ट पता चल जायगा कि उक्त टिप्पणी मौलिक लेखक की नहीं है क्योंकि टिप्पणी दो सामान्य पंक्तियों के बीच में आ पड़ेगी। मौलिक लेखक जान बूझ कर तो उक्त स्थल पर अधिक स्थान छोड़ेगा नहीं क्योंकि किसी टीकाकार को उन पंक्तियों के बीच में कोई टिप्पणी लिखनी है। किन्तु जहाँ उपरिलिखित टिप्पणी दी हुई है उस स्थान पर ऊपर और नीचे की पंक्तियों के बीच में अधिक स्थान छूटा हुआ है। अतः यह निर्विवाद रूप से सिद्ध हो जाता है कि टिप्पणी और सूत्र एक ही लेखक के लिखे हुए हैं। अर्थात् उक्त पृष्ठ का लेखक मौलिक लेखक नहीं है, वरन् एक प्रतिलिपिक है।

एक बात और भी है। जब हम दो पंक्तियों के बीच में कुछ लिखते हैं तो स्वभावतः हमारे अक्षर स्थान की कमी के कारण छोटे पड़ जाते हैं। इसी कारण डा० के ने उक्त वाक्य 'सूत्रे भ्रान्तिम अस्ति' छोटे अक्षरों में लिखा है।[1] इस प्रकार वह यह सिद्ध करना चाहते हैं कि यह वाक्य बाद को पंक्तियों के बीच में लिखा गया है। किन्तु उक्त वाक्य के अक्षर भी उतने ही बड़े हैं जितने सूत्र के शेष अंश के। अतः उनका उक्त वाक्य को छोटे अक्षरों में देना भ्रमोत्पादक है।

अब तनिक निम्नलिखित उद्धरण पर ध्यान दीजिए जो जोड़ी ५० दायें से लिया गया है;

................वशिष्ठ पुत्र
सिकस्यार्थे पुत्र पौत्र उपयाग्यें भवतु
लिखितं च्छाजकपुत्र गणकराजे ब्राह्मणेन ।

इस अंश के विषय में डाक्टर के लिखते हैं[2] कि "ऐसा प्रतीत होता है कि इस पृष्ठ पर पुस्तक का परिचय पत्र दिया गया है। आशय बिलकुल स्पष्ट तो नहीं है,

१. देखिए, भक्षाली II पृ० १०८ और III प्लेट IV.
२. देखिए, भक्षाली III पृ० २३७ पादटिप्पणी और I पृष्ठ १९।

किन्तु इतना पता चलता है कि ग्रंथ किसी ब्राह्मण द्वारा लिखा गया था जिसके पिता का नाम छाजक था।

"छाजक कदाचित् सज़्जक नाम का पात्र ही है जिसका उल्लेख राजतरंगिणी में कई बार हुआ है। सज़्जक कल्हण के समय में (बारहवीं शताब्दी में) सेद कार्यालय में अधीक्षक था, किन्तु इस व्यक्ति का हमारी हस्तलिपि के लेखक से संबंध जोड़ने का हमारे पास कोई कारण नहीं है।"

बलिहारी है इस तर्क की। डाक्टर के किसी न किसी प्रकार यह दिखाने का प्रयत्न कर रहे हैं कि भक्षाली हस्तलिपि बारहवीं शताब्दी की रचना है और अंत में स्वयं ही अपनी उक्तियों को काट देते हैं। जब वे यह मानते हैं कि छाजक और सज़्जक को एक सिद्ध करने का उनके पास कोई प्रमाण नहीं है तो सज़्जक के नाम का उल्लेख ही क्यों करते हैं। क्या केवल नामों की समानता के कारण ? किन्तु समानता भी तो कोई विशेष नहीं है।

एक बात और भी ध्यान देने योग्य है। उपरिलिखित उद्धरण में 'लिखितम्' का प्रयोग हुआ है। इसका अर्थ यह है कि छाजक-पुत्र केवल एक प्रतिलिपिक (Copyist) ही था। यदि वह ग्रन्थ का मूल लेखक रहा होता तो 'कृतम्' अथवा 'विरचितं' का प्रयोग किया गया होता। हिन्दी में तो author, writer, scribe सबके लिए 'लेखक' का ही प्रयोग होता है, किन्तु संस्कृत में अधिकतर उपरिलिखित दोनों शब्द प्रयुक्त होते हैं।

हस्तलिपि का रचना काल

डाक्टर होर्नल का विचार है कि भक्षाली हस्तलिपि ऐसे समय में लिखी गयी होगी जब देश में हिन्दू सभ्यता और ब्राह्मण विद्वत्ता का आधिपत्य था। इसका पता तो ग्रंथ की विषय वस्तु से ही चलता है। एक समय था जब काबुल में हिन्दुओं का राज्य था। भक्षाली गाँव उसी राज्य का एक अंग था। जब महमूद ग़ज़नवी ने भारत पर आक्रमण किये तब काबुल का राज्य हिन्दुओं के हाथ से जाता रहा। ये घटनाएँ दसवीं शताब्दी के अंत और ग्यारहवीं शताब्दी के आरम्भ की हैं। उन दिनों यह सामान्य प्रथा थी कि सकट के समय हिन्दू अपनी मूल्यवान् वस्तुएँ भूमि में गाड़ दिया करते थे। सम्भवतः भक्षाली हस्तलिपि भी इसी प्रकार ज़मीन में गाड़ दी गयी होगी। यदि डाक्टर होर्नल का यह अनुमान सत्य हो तो यह सिद्ध हो जाता है कि हस्तलिपि दसवीं शताब्दी के पश्चात् की नहीं है।

डाक्टर होर्नल के अनुमान के विषय में डाक्टर के लिखते हैं कि इस बात का कोई भी

प्रमाण नहीं है कि हस्तलिपि जान बूझ कर गाड़ी गयी थी। हम केवल इतना ही कह सकते हैं कि इस बात का भी कोई प्रमाण नहीं है कि हस्तलिपि जान बूझ कर नहीं गाड़ी गयी थी। अतः इन उक्तियों से कोई निश्चयात्मक निष्कर्ष नहीं निकलता।

हस्तलिपि में प्रयुक्त संकेतों के विषय में तो हम पहले ही अपने विचार व्यक्त कर चुके हैं। हम यह भी लिख चुके हैं कि उक्त ग्रंथ शारदा लिपि में लिखा गया था। इस आधार पर डाक्टर होर्नेल ने यह अनुमान लगाया है कि कदाचित् हस्तलिपि आठवीं अथवा नवीं शताब्दी में लिखी गयी हो। इस संबंध में डाक्टर के लिखते हैं कि पुराने प्राच्यभाषाज्ञों (Orientalists) का यह विचार ग़लत है कि शारदा लिपि बहुत प्राचीन है। बुहलर (Buhler) ने कहा था कि शारदा लिपि का सबसे पुराना शिलालेख बैजनाथ में मिला है जो सन ८०४ ई० का है, किन्तु डाक्टर के का यह मत है कि उक्त शिलालेख वास्तव में १२०४ ई० का है। तत्पश्चात् डाक्टर के लिखते हैं कि शारदा लिपि के सबसे प्राचीन लेख नवीं शताब्दी के हैं जो कश्मीर के वर्मा राजवंश के कुछ सिक्कों पर पाये गये हैं। कई शिलालेख दसवीं और बारहवीं शताब्दियों के भी मिले हैं और तत्पश्चात् डाक्टर के अपने विचार से यह सिद्ध कर देते हैं कि भक्षाली हस्तलिपि बारहवीं शताब्दी की ही है। यदि उनकी उपरिलिखित उक्तियां सत्य हों तो भी यह मानना पड़ेगा कि यह सम्भव है कि भक्षाली हस्तलिपि नवीं शताब्दी की हो।

भक्षाली हस्तलिपि में सूत्र तो पद्य में दिये गये हैं और उदाहरण गद्य में। पद्य भाग में श्लोक छन्द का प्रयोग किया गया है। प्राचीन गणितीय पुस्तकें अधिकतर श्लोकों में ही लिखी जाती थी, किन्तु पाँचवीं शताब्दी से आर्या छन्द का प्रयोग होने लगा। आर्यभट्ट, वराह मिहिर और ब्रह्मगुप्त ने अपनी कृतियाँ आर्या छन्द में ही लिखी हैं और इन समस्त गणितज्ञों का कार्यकाल छठवीं शताब्दी था। भक्षाली हस्तलिपि श्लोक छन्द में लिखी गयी है। इससे यह निष्कर्ष निकलता है कि उक्त हस्तलिपि का रचना काल सम्भवतः पाँचवीं शताब्दी से पहले ही रहा होगा।

पिछले पैरे में हमने डा० होर्नेल का मत दिया है। उसके विषय में डा० के लिखते हैं कि "उक्त कथन भ्रमोत्पादक है। महावीर का गणित-सार-संग्रह (९ वीं शताब्दी) श्लोक छन्द में लिखा गया था। सूर्य सिद्धान्त (११०० ई० के लगभग) भी उसी छन्द में लिखा गया था। इसके अतिरिक्त शारदा लिपि के ग्यारहवीं और बारहवीं शताब्दियों के कई शिलालेख मिले हैं जिनमें श्लोक छन्द ही प्रयुक्त हुआ है। यह बड़े दुर्भाग्य की बात है कि डा० होर्नेल ने हस्तलिपि के रचना काल के विषय में एक धारणा बना ली और उसे सिद्ध करने के लिए ऐसे तथ्यहीन तर्क का प्रयोग किया। गणित के इतिहासज्ञ

कॅण्टर (Cantor) ने अपने ग्रन्थ में उसी उक्ति को दुहराया है और उसपर ज़ोर दिया है।"[1]

डाक्टर होर्नल ने कोई पूर्व धारणा बनायी हो या न बनायी हो, किन्तु डाक्टर के ने अवश्य यह धारणा बना ली थी कि भक्षाली हस्तलिपि का रचना काल बारहवीं शताब्दी से पहले का हो ही नहीं सकता। हमने डाक्टर होर्नल का जो मत ऊपर व्यक्त किया है उसमें उन्होंने यह कब कहा है कि छठवीं शताब्दी से श्लोक छन्द का प्रयोग बिलकुल बन्द हो गया। उन्होंने तो केवल यह कहा है कि छठवीं शताब्दी से आर्या छन्द का प्रयोग होने लगा और गणितज्ञ उसी छन्द में अपनी पुस्तकें लिखने लगे। केवल इतना ही नहीं, श्लोक छन्द में लिखी हुई कुछ प्राचीन पुस्तकों की पुनरावृत्ति भी आर्या छन्द में हुई। इसलिए यह अनुमान होता है कि कदाचित् भक्षाली हस्तलिपि की रचना छठवीं शताब्दी से पहले हुई हो। डाक्टर के ने जो तथ्य दिये हैं उनसे केवल इतना निष्कर्ष निकलता है कि छठवीं शताब्दी के पश्चात् भी श्लोक छन्द का प्रयोग होता रहा। केवल इसी बिना पर यह नहीं कहा जा सकता कि डाक्टर होर्नल का अनुमान सर्वथा ग़लत था। अधिक से अधिक यह कह सकते हैं कि डाक्टर होर्नल का मत निश्चयात्मक नहीं है। किन्तु डाक्टर के को तो येन केन प्रकारेण डाक्टर होर्नल की बात को ग़लत सिद्ध करना था।

डाक्टर हार्नल लिखते हैं कि भक्षाली हस्तलिपि उस विचित्र भाषा में लिखी गयी है जो पहले गाथा उपभाषा (Dialect) कहलाती थी और जो प्राचीन उत्तर पश्चमी प्राकृत अथवा पाली का साहित्यिक रूप थी। उसमें संस्कृत और प्राकृत रूपों का विलक्षण संमिश्रण दिखाई पड़ता है। मथुरा के भारतीय सीथियन राजाओं के शिलालेखों से पता चलता है कि उक्त भाषा उत्तर पश्चिमी भारत में तृतीय शताब्दी तक साहित्यिक क्षेत्र में साधारणतया प्रयुक्त होती थी। तत्पश्चात् संस्कृत का प्रयोग, जो उस समय तक ब्राह्मण संप्रदाय की ही भाषा थी, लौकिक कार्यों में होने लगा। बौद्धों और जैनियों में प्राचीन साहित्यिक भाषा कुछ दिन और चली होगी, किन्तु उसका प्रयोग केवल धार्मिक कृत्यों में ही हुआ होगा। अतः भक्षाली हस्तलिपि में उसका प्रयोग यह इंगित करता है कि उक्त रचना तीसरी अथवा चौथी शताब्दी के पश्चात् की नहीं है।

इस संबंध में डाक्टर के ने हस्तलिपि में से बहुत से उदाहरण भाषा-वैज्ञानिक विशेषताओं के दिये हैं और ग्यारहवीं और बारहवीं शताब्दी के शिलालेखों की भाषा से

1. Vorlesungen über Geschichte der Mathematik (3rd edition), vol. I p. 598.

उनका सामंजस्य दिखाया है और अंत में फिर वही निष्कर्ष निकाला है कि डाक्टर होर्नल का विचार ग़लत है। इतना अच्छा किया है कि उन्होंने अपनी टिप्पणियों के अंत में यह लिख दिया है कि इस विषय में "मैं उन लोगों की सम्मति की बाट देखूंगा जो इस विषय (भाषा-विज्ञान) के अधिक जानकार हों, किन्तु मेरा प्रायोगिक निष्कर्ष तो यही है कि हस्तलिपि की भाषा हस्तलिपि से बहुत पुरानी नहीं है। हम इस विषय का विवेचन भाषाविदों और भाषा-वैज्ञानिकों के लिए छोड़े देते हैं।"

अब हम एक अन्य तथ्य की ओर पाठकों का ध्यान आकृष्ट करते हैं। रोम में सोने का एक सिक्का प्रचलित था जिसका नाम 'दिनारियस' था। सबसे पहले उक्त सिक्का २०७ ई० पू० में ढाला गया था। लॅटिन शब्द दिनारियस से ही हिन्दुस्तानी शब्द 'दीनार' बना है। हिन्दुस्तान में ये सिक्के भारतीय सीथियन राजाओं के समय प्रचलित थे। इन राजाओं का वंश प्रथम शताब्दी ई० पू० से तृतीय शताब्दी ई० तक माना जाता है। अन्वेषणों से पता चला है कि ई० की प्रथम शताब्दियों में हमारे देश में हिन्दुस्तानी दीनारों के साथ साथ कहीं कहीं पर रोम के दिनारियस भी चलते थे। सोने के दीनार जो अब तक पाये गये हैं कनिष्क और हुविष्क के राज्य काल के हैं। रोम के जो दिनारियस पाये गये हैं वह ट्रजन, (Trajan) हेड्रियन (Hadrian) और एॅन्टोनाइनस पायस (Antoninus Pius) के समय के हैं और इन समस्त राजाओं का राज्य द्वितीय शताब्दी ई० में हुआ है। अब इस बात पर विचार कीजिए कि भक्षाली पाण्डुलिपि में कई उदाहरणों में दीनारों का प्रयोग किया गया है। इस तथ्य से भी यह संकेत मिलता है कि भक्षाली हस्तलिपि की रचना ई० की पहली तीन शताब्दियों में ही हुई थी।

अब डा० के की उक्ति सुनिए। आप भक्षाली II के § ११० में लिखते हैं कि "दीनार सदैव सोने का ही नहीं होता था, और भक्षाली हस्तलिपि में वह सम्भवतः एक ताँबे का सिक्का था क्योंकि उसमें पृष्ठ ६० पर एक दिन का पारिश्रमिक $१\frac{१}{२}$ से ३ दीनार तक दिया हुआ है[1] और महावीर (६) २३१ में एक कुली का दैनिक पारिश्रमिक १८ दीनार के लगभग तक दिया हुआ है।"

इस सम्बन्ध में हम गुर्जर की पुस्तक Ancient Indian Mathematics and Vedha (1947) के पृष्ठ ५५ की एक कण्डिका का अनुवाद देते हैं—

"थोड़े से विचार विमर्श से ही यह पता चल जायगा कि के के तर्कों में कोई तथ्य नहीं है क्योंकि पहली बात तो यह है कि पाठ्य पुस्तकों में दिये हुए पारिश्रमिक पर

१. भक्षाली III. पृ० २१६।

हम बहुत विश्वास नहीं कर सकते ।[1] दूसरी बात यह है कि भक्षाली हस्तलिपि में दिये गये १½ या ३ दीनार वाले पारिश्रमिक को हम अत्यधिक नहीं कह सकते क्योंकि भारत उन दिनों सम्भवतः संसार का सबसे सम्पन्न देश था । यदि हम यह दूसरी उक्ति न भी स्वीकार करें तो भी यह क्यों न मानें कि इतने ऊँचे पारिश्रमिक (विद्यार्थियों को) परिकलन के अभ्यास के लिए दिये गये थे ?" क्या त्रैराशिक और भिन्नों के अभ्यास के लिए पुस्तकों में काल्पनिक आँकड़े नहीं दिये जाते ?

हम गुर्जर से सहमत नहीं हैं । साधारणतया गणित की पुस्तकों में भी व्यावहारिक प्रश्न ही दिये जाते हैं । कहीं कहीं ऐसा अवश्य करना पड़ता है कि काल्पनिक, अव्यावहारिक आँकड़ों का प्रयोग किया जाय । मान लीजिए कि हमें कमरों के क्षेत्रफल पर प्रश्न देना है । तो अभ्यास के लिए हम ऐसा प्रश्न देते हैं—

'एक कमरा ४०० गज़ लम्बा, २५० गज़ चौड़ा है. . . . ."

किन्तु ऐसे प्रश्न बहुत कम होते हैं । ऐसे स्थलों पर हमारे पास और कोई उपाय नहीं होता । हम विद्यार्थी को ऊँचे अंकों के परिकलन का अभ्यास कराना चाहते हैं और विषय कमरों के क्षेत्रफल का चल रहा है । तो विवश होकर हमें इस प्रकार के अव्यावहारिक प्रश्न बनाने पड़ेंगे । परन्तु जब हम ऐसा प्रश्न देते हैं कि 'एक कुली का पारिश्रमिक १८ दीनार प्रति दिन है' तो प्रश्न को व्यावहारिक बनाने के लिए हम कुली के स्थान पर किसी कोतवाल अथवा राजमन्त्री का वेतन १८ दीनार प्रतिदिन दे सकते हैं ।

अतः हम यह मानते हैं कि महावीर के उक्त प्रश्न में यदि किसी कुली का वेतन १८ दीनार प्रति दिन है तो वह दीनार ताँबे का ही रहा होगा । किन्तु इस स्वीकारोक्ति से भी हमारे मत की ही पुष्टि होती है । वस्तुओं के दाम घटते बढ़ते रहते हैं । यदि महावीर के समय (९वीं शताब्दी) में एक कुली का पारिश्रमिक १८ दीनार प्रति दिन था तो उससे कई शताब्दी पहले ही पारिश्रमिक की दर १½ या २ दीनार रही होगी । हम यह मानने को तैयार हैं कि भक्षाली हस्तलिपि वाला दीनार ताँबे का रहा होगा । तब इस तथ्य से अवश्य ही यह निष्कर्ष निकलता है कि भक्षाली का समय महावीर के समय से कई शताब्दी पहले रहा होगा क्योंकि महावीर के समय में कुलियों का पारिश्रमिक १½ या २ दीनार नहीं, १८ दीनार था । २ दीनार से १८ दीनार तक पहुँचने में स्वभावतः कई शताब्दियाँ लग गयी होंगी । इस प्रकार डा० के स्वयं अपने तर्कों के जाल में फँस गये हैं ।

१. डा० के ने स्वयं यही बात अपने कथन की पादटिप्पणी में कही है ।

अब डा० के की कुछ और उक्तियों पर विचार कीजिए।

भक्षाली II § ६९ :

"वर्ग मूल नियम का हिन्दुओं ने १६ वीं शताब्दी तक प्रयोग नहीं किया था। इतना ही नहीं, उन्हें उसका पता भी नहीं था।"

भक्षाली II § १२० :

"हस्तलिपि में करणियों के निकट मान निकालने का नियम दिया हुआ है जो भारतीय नहीं है। विधि इस नियम

$$\sqrt{\text{क}^2+\text{ख}} = \text{क}+\frac{\text{ख}^2}{2\text{क}}$$

से निरूपित होती है और इस विधा (process) को और आगे बढ़ाने से निकटतर मान निकाले जा सकते हैं। तत्सम्बन्धी सूत्र तीन स्थानों पर दिया हुआ है और प्रथम और द्वितीय निकट मानों के कई उदाहरण दिये गये हैं। बल्कि यों कहना चाहिए कि वर्ग मूल विधि को कृति के विषयों में प्रमुख स्थान दिया गया है। इस (विधि) का इतिहास हम भली भाँति जानते हैं। (देखिए § ६९)। उक्त विधि हेरॉन (Heron) के समय से बहुत सी पश्चिमी कृतियाँ में दी गयी है, किन्तु भारत में १२ वीं शताब्दी से पहले किसी ग्रन्थ में नहीं दी गयी। सच पूछिए तो इसका भारतीय कृतियों में, भक्षाली हस्तलिपि को छोड़कर, सबसे पहला उल्लेख मुझे १६ वीं शताब्दी में ही मिला है।"

भक्षाली II § १३४ :

"प्रमाण तो नहीं, किन्तु कई अन्य संकेत हस्तलिपि के रचना काल के विषय में पाठ्य सामग्री में ही मिलते हैं। यदि वर्ग मूल नियम, जिसका उल्लेख हम कर चुके हैं, आर्यभट्ट के समय से किसी भी भारतीय कृति में मिलता तो हस्तलिपि में उसके दिये जाने से कोई आश्चर्य न होता। किन्तु भारतीय पुस्तकों में उक्त नियम बहुत पीछे के समय में आया है। अतः भक्षाली हस्तलिपि में उसका प्रादुर्भाव प्रत्यक्ष पश्चिमी प्रभाव, सम्भवतः मुस्लिम प्रभाव, के कारण हुआ है।"

डा० के. जो चाहें सो मन गढन्त बातें लिख सकते हैं। उनकी कलम रोकने वाला कोई नहीं है। किन्तु तथ्य कुछ और ही है। रोड़े (Rodet) का मत है कि उक्त नियम शुल्व सूत्रों में दिया हुआ है जिनमें से सबसे पुराने का रचना काल ८०० ई० पू० के लगभग है।[1] उक्त नियम से उनके रचयिताओं ने $\sqrt{2}$ का प्रथम नहीं चतुर्थ सन्निकटन निकाला था—

1. L. Rodet: Sur une me'thode d' approximation des racines

$$\sqrt{२} = १ + \frac{१}{३} + \frac{१}{३.४} - \frac{१}{३.४.३४}$$

अतः डा० के के तर्क बिलकुल निराधार ठहरते हैं।

उपसंहार

(१) डा० के ने जिस अध्यवसाय और लगन से भक्षाली हस्तलिपि का सम्पादन किया है, वह प्रशंसनीय है। उन्होंने गवेषकों के लिए इस दिशा में पर्याप्त सामग्री उपस्थित कर दी है। किन्तु उसके रचना काल के सम्बन्ध में जितने निष्कर्ष निकाले हैं, प्रायः सब गलत हैं।

(२) हस्तलिपि के रचना काल के सम्बन्ध में गणित के प्रमुख इतिहासज्ञ बुहलर[1], कॅण्टर[2] और कजोरी (Cajori)[3] सब डा० होर्नल से इस बात में सहमत हैं कि हस्तलिपि का रचना काल ई० की प्रारम्भिक शताब्दियाँ हैं। डा० दत्त का भी यही मत है। हम डा० दत्त के निष्कर्ष का समर्थन करते हैं।

(३) डा० के ने यह भी सिद्ध करने का प्रयत्न किया है कि भक्षाली हस्तलिपि विदेशी गणित से प्रभावित थी। विस्तार की आशंका से हम उक्त प्रश्न पर गहरे में नहीं जाना चाहते। जिन पाठकों को इस विषय में रुचि हो, डा० दत्त का उपरिलिखित लेख पढ़ सकते हैं। वहाँ उन्होंने अकाट्य प्रमाणों द्वारा यह सिद्ध किया है कि भक्षाली गणित की उपज सोलह आने इसी देश में हुई थी। डा० के को स्वयं भी अपने तर्कों पर पूर्ण विश्वास नहीं है क्योंकि वह भक्षाली I के § १२१ में लिखते हैं कि—

"किन्तु निस्सन्देह पश्चिमी प्रभाव के प्रमाणों का यह अर्थ नहीं है कि कृति भारतीय नहीं है। वह उतनी ही भारतीय है जितनी उस काल की कोई अन्य गणितीय कृति। उसमें हिन्दू पुराणों और हिन्दू देवताओं के अभिदेश हैं और भाषा भी एक प्रकार से भारतीय ही है। लिपि भी उत्तरी भारत की प्राचीन लिपि की एक शाखा ही है।

carres, conne dans l' Inde antereiurment a' la conquête d' Alexandre", Bull. Soc. Math. d. France VII (1879) pp. 98-102; "Sur les méthodes d'approximation chez les anciens". ibid pp. 159-67.

1. Indian Paleography p. 82.
2. Geschichte der Math. I p. 598.
3. History of Math. 2nd ed. (Boston) 1922 p. 85.

उपस्थापन का रूप भी भारतीय है। और अधिकांश उदाहरणों की विषय वस्तु भी भारतीय है।"

इस प्रकार डा० के ने स्वयं ही अपने तर्कों पर पानी फेर दिया है। जादू वह है जो सिर पर चढ़कर बोले।

(५) ५०० से १००० ई० तक

जहाँ तक बीजगणित का सम्बन्ध है, चीन में ५०० और १००० ई० के बीच में दो तीन ही गणितज्ञ हुए हैं जिनका नाम लिया जा सके। पाँचवीं शताब्दी तो प्रायः कोरी ही रही। छठी शताब्दी में पहला नाम चाँग क्यू काइन का आता है। इसका जीवन काल ५७५ ई० के आस पास था। इसने तीन भागों में अंकगणित लिखा है जो अभी तक उपलब्ध है। पुस्तक में अंकगणितीय विषयों के अतिरिक्त समान्तर श्रेढ़ी (Arithmetical Progression) और अनिर्णीत एकघात समीकरणों का भी विवेचन किया गया है।

सातवीं शताब्दी में एक गणितज्ञ वांग स्याओ तुंग हुआ है जिसका जीवन काल ६२५ ई० के लगभग माना जाता है। उसका प्रिय विषय तिथिपत्र (Calendar) था जिसमें उसने दक्षता प्राप्त कर ली थी। उस की प्रसिद्ध पुस्तक चि कू स्वान किंग है। पुस्तक में मापिकी पर बीस प्रश्न दिये गये हैं जिनमें से कुछ में घन समीकरण प्राप्त होते हैं। इस प्रकार कह सकते हैं कि वांग स्याओ तुंग पहला चीनी गणितज्ञ था जिसने घन समीकरणों पर लेखनी उठायी।

आठवीं शताब्दी में चीन का गणितीय कार्य नगण्य रहा। एक गणितज्ञ आई सिग अवश्य हुआ जिसने ७२७ ई० में एक नया तिथिपत्र बनाया, जिसका नाम ताई येन तिथिपत्र है। सन् ९२५ के आस पास ज्यौतिष पर एक अन्य पुस्तक प्रकाशित हुई, जिसका नाम काइ-यू-आन चान-किंग था। किन्तु उक्त दोनों पुस्तकों में तिथि-पत्र के अतिरिक्त और कोई गणितीय विषय नहीं दिये गये थे।

जिस समय का हम उल्लेख कर रहे हैं, उस समय चीन का गणित जापान को प्रभावित करने लगा था। ६७० ई० के लगभग अंकगणित के एक स्कूल की स्थापना हुई और साथ ही साथ जापान में चीन की माप पद्धति को अपना लिया गया। इसके अतिरिक्त एक वेधशाला स्थापित हुई और ७०१ ई० में अध्यापन की विश्वविद्यालय पद्धति चालू हो गयी। विद्यार्थियों के लिए निम्नलिखित ९ चीनी ग्रन्थ निर्धारित किये गये—

१. चौ-पई स्वान-किंग
२. सून-ज़ी स्वान-किंग
३. ल्यू-चाँग
४. सान-कई चुंग-चा
५. वू-त्साओ स्वान-शू
६. हई-तौ स्वान-शू
७. क्यू-स्ज़ू
८. क्यू-चंग
९. क्यू-शू

अब इनमें से तीसरे, चौथे और सातवें ग्रन्थ अप्राप्य हैं। इन ग्रन्थों ने शताब्दियों तक जापानी गणित पर अपनी छाप डाली है।

तत्कालीन जापानी गणितज्ञों में एक ही और नाम उल्लेखनीय है—तेनज़िन। इसका जीवन काल ८९० ई० के आस पास था। इसका मौलिक नाम मिचीज़ेन था। यह एक अध्यापक और सामन्त था। विज्ञान और साहित्य के क्षेत्रों में इसकी ख्याति इतनी फैली कि इसके देहान्त के पश्चात् जनता ने इसका नाम तेनज़िन रख दिया। जापानी भाषा में इस शब्द का अर्थ होता है 'दैवी पुरुष'।

भारत

आर्यभट्ट

हम ऊपर लिख आये हैं कि ५००–१००० ई० तक भारत में अनेक गणितज्ञ हुए हैं। उनमें प्रमुख नाम आर्यभट्ट का है। आर्यभट्ट के अंकगणितीय कार्य का उल्लेख हम पिछले अध्याय में कर चुके हैं। उनके बीजगणितीय कार्य के कुछ नमूने हम यहाँ देते हैं।

(१) आर्यभटीयं का २४ वाँ श्लोक इस प्रकार है—

द्विकृतिगुणात् संवर्गाद् द्व्यन्तरवर्गेण संयुतान्मूलम्।
अन्तरयुक्तं हीनं तद्गुणकारद्वयं दलितम्॥२४॥

अर्थ—दो राशियों के गुणनफल के चौगुने में उनके अन्तर का वर्ग जोड़कर वर्ग मूल लेने पर राशियों का अन्तर जोड़ अथवा घटाकर दो से भाग देने से उक्त राशियाँ प्राप्त हो जाती हैं।

आधुनिक संकेतलिपि में हम उक्त सूत्र को इस प्रकार लिखेंगे —

$$\frac{\sqrt{\{४कख+(क-ख)^२\}}\pm(क-ख)}{२} = क \text{ अथवा } ख \text{ ।}$$

(२) आर्यभटीयं का २३ वाँ श्लोक इस प्रकार है —

संपर्कस्य हि वर्गाद्विशोधेयदेव वर्गसंपर्कम् ।
यत्तस्य भवत्यर्धं विद्याद्गुणकारसंवर्गम् ॥२३॥

अर्थ—राशियों के जोड़ के वर्ग और वर्गों के जोड़ के अन्तर को दो से भाग देने से (दो-दो राशियों के) गुणनफलों का योग प्राप्त होता है।

आधुनिक संकेतलिपि में यह सूत्र इस प्रकार लिखा जायगा—

$$\frac{(क+ख+ग+\ldots)^२-(क^२+ख^२+ग^२+\ldots)}{२}=\Sigma कख \text{ ।}$$

स्पष्ट है कि यह सूत्र इस बीजगणितीय सूत्र का विस्तार है—

$$\frac{(क+ख)^२-(क^२+ख^२)}{२}=कख,$$

अर्थात् $(क+ख)^२=क^२+ख^२+२कख$ ।

आर्यभटीयं के बीजगणितीय भाग का प्रमुख प्रकरण श्रेढ़ी व्यवहार (Progressions) है। हम यहाँ उक्त ग्रन्थ के तत्संबन्धी सूत्र देते हैं।

(३) आर्यभटीयं का १९ वाँ श्लोक—

इष्टं व्येकं दलितं सपूर्वमुत्तरगुणं समुखमध्यम् ।
इष्टगुणितमिष्टधनं त्वथवाद्यान्तं पदार्धहतम् ॥१९॥

श्लोक के प्रथम भाग का अर्थ—पदों की संख्या में से १ घटाकर शेष को 'चय' से गुणा करो। गुणनफल में प्रथम पद जोड़ने से अन्तिम पद प्राप्त होगा।

मान लो कि हमारी समान्तर श्रेढ़ी यह है—

४, ७, १०, १३, ...१९ पदों तक ।

इस श्रेढ़ी में,

'आदि' अर्थात् प्रथम पद = ४

'चय' अर्थात् सार्वान्तर = ३

'गच्छ' अर्थात् पदों की संख्या = १९

अतएव उपर्युक्त सूत्र से

'अन्त्यधन'' अर्थात् अन्तिम पद = $(१९-१)\times३+४=५८$ ।

अतः हमारी समान्तर श्रेढ़ी यह हो गयी

४, ७, १०. १३,.........५५, ५८.

श्लोक के मध्य भाग का अर्थ--'अन्त्यधन' में 'आदि' जोड़कर आधा करने से मध्यधन प्राप्त होगा।

ऊपर दिये हुए उदाहरण में

$$\text{मध्यधन} = \frac{५८+४}{२} = ३१ ।$$

स्पष्ट है कि यह संख्या श्रेढ़ी का मध्य पद अर्थात् दसवाँ पद है। किन्तु 'मध्यधन' का अस्तित्व मध्य पद पर आश्रित नहीं है। यदि श्रेढ़ी के पदों की संख्या विषम हो तो मध्य पद और मध्यधन एक ही होंगे। परन्तु यदि पदों की संख्या सम हो तो श्रेढ़ी में कोई मध्यपद होगा ही नहीं। श्रेढ़ी

२, ५, ८, ११, ...२२ पदों तक

में कोई मध्य पद नहीं है। किन्तु ऊपर दिये हुए सूत्र से

अन्त्यधन = २१. ३+२ = ६५

$$\text{और मध्यधन} = \frac{६५+२}{२} = ३३\tfrac{१}{२} ।$$

श्रेढ़ी का दसवाँ पद ३२ है और ग्यारहवाँ ३५ और मध्यधन इन दोनों का मध्यक (Mean) है।

श्लोक के अन्तिम भाग का अर्थ--मध्यधन को 'गच्छ' से गुणा करने से सर्वधन प्राप्त होगा।

इस प्रकार उपरिलिखित श्रेढ़ी का सर्वधन अर्थात् पदों का योग

$$= ३३\tfrac{१}{२} \times २२ = ७३७ ।$$

मान लीजिए कि किसी श्रेढ़ी में

आदि	= आ,	चय	= च,
मध्यधन	= म,	सर्वधन	= स,
अंत्यधन	= अं,	गच्छ	= ग

तो उपरिलिखित सूत्र इस प्रकार लिखे जायेंगे—

अं = (ग–१) च+आ,

$$\text{म} = \frac{\text{अं}+\text{आ}}{२} = \frac{(\text{ग}-१)\ \text{च}+२\ \text{आ}}{२},$$

$$\text{स} = \text{ग} \times \frac{\text{अं} + \text{आ}}{२} = \frac{\text{ग}}{२}\{(\text{ग} - १)\text{च} + २\,\text{आ}\}. \qquad (\text{ऋ})$$

यह सूत्र श्रेढ़ी गणित के आधुनिक सूत्रों से अभिन्न है।

(४) आर्यभटीयं का २० वाँ श्लोक --

गच्छोऽष्टोत्तरगुणिताद्द्विगुणाद्युत्तरविशेषवर्गयुतात् ।
मूलं द्विगुणाद्यूनं स्वोत्तरभाजितं सरूपार्धम् ॥२०॥

इस श्लोक में गच्छ निकालने की विधि दी गयी है। अर्थ इस प्रकार है—

सर्वधन को ८ से गुणा करके गुणनफल को चय से गुणा करो। आदि को द्विगुणित करके उसमें से चय घटा दो और शेष का वर्ग करो। इस वर्ग को उपर्युक्त गुणनफल में जोड़कर वर्ग मूल निकालो। वर्ग मूल में से द्विगुणित आदि घटा कर शेष को चय से भाग दो। भजनफल में १ जोड़ कर योग को आधा करने से गच्छ प्राप्त होगा।

सांकेतिक भाषा में हम यह सूत्र इस प्रकार लिखेंगे।

$$\frac{1}{2}\left\{\frac{\sqrt{८\,\text{स}\,\text{च} + (२\,\text{अ} - \text{च})^{२}} - २\,\text{आ}}{\text{च}} + १\right\} = \text{ग}\,।$$

यह सूत्र भी आधुनिक श्रेढ़ी गणित के सूत्रों से पूरा पूरा मेल खाता है।

(५) आर्यभट्ट ने श्रेढ़ी व्यवहार के अन्तर्गत कुछ अन्य सूत्र भी दिये हैं जो आधुनिक गणित में भी इसी प्रकरण के साथ दिये जाते हैं।

मान लीजिए कि किसी समान्तर श्रेढ़ी में

$$\text{आ} = \text{च} = १$$

तो यह श्रेढ़ी प्राप्त होगी—

$$१ + २ + ३ + ४ + \ldots\ldots\ldots \text{ग पदों तक}\,। \qquad (\text{क्ष})$$

आधुनिक पारिभाषिक शब्दों में इस श्रेढ़ी के योग को 'ग प्राकृतिक संख्याओं का योग' कहते हैं।

ऊपर (३) में दिये हुये सूत्र से इस श्रेढ़ी का सर्वधन

$$\text{स}_{\text{ग}} = \frac{\text{ग}}{२}(\text{ग} + १). \qquad (\text{त्र})$$

आर्यभटीयं में यह सूत्र स्पष्ट रूप से नहीं दिया गया है। किन्तु यह असम्भव है कि आर्यभट्ट को यह सूत्र ज्ञात न रहा हो। इसका एक कारण तो यह है कि यह सूत्र कोई नया नहीं है, (३) में दिये गये सूत्र (ऋ) का ही विशिष्ट रूप है। दूसरा कारण

यह है कि आर्यभट्ट ने इसी सूत्र के पदों में अन्य सूत्र दिये हैं जैसा कि निम्नलिखित से स्पस्ट हो जायगा।

संख्याओं (क्ष) को 'संकलित' अथवा 'चिति' कहते हैं। अतएव हम सूत्र (त्र) को इस प्रकार लिख सकते हैं—

$$\text{चिति ग अथवा संकलित ग} = \frac{\text{ग}}{२}(\text{ग}+१).$$

आधुनिक संकेतलिपि में इसी सूत्र को इस प्रकार लिखेंगे—

$$\sum \text{ग} = \frac{\text{ग}}{२}(\text{ग}+१).$$

अब मान लो कि हम १ से लेकर ग तक इन चितियों का संकलन करें। तो यह श्रेणी (Series) प्राप्त होगी—

$$१+(१+२)+(१+२+३)+(१+२+३+४)+\ldots\ldots + (१+२+३\ldots\ldots\ldots+\text{ग}).$$

आर्यभट्ट ने इस श्रेणी के योग का नाम 'चितिघन' रखा है।

आर्यभटीयं के २१ वें श्लोक में इस श्रेणी के योग का सूत्र दिया हुआ है—

एकोत्तराद्युपचितेर्गच्छाद्येकोत्तरत्रिसंवर्गः ।
षड्भक्तस्स चितिघनस्सैकपदघनो विमूलो वा ॥२१॥

भावार्थ—गच्छ को प्रथम राशि मानो।

गच्छ में १ जोड़ो। यह दूसरी राशि हुई।

दूसरी राशि में १ जोड़ो। यह तीसरी राशि हुई।

तीनों राशियों के गुणनफल को ६ से भाग देने से श्रेणी का योग प्राप्त होगा।

अथवा, दूसरी राशि के घनफल में से दूसरी राशि घटाकर ६ से भाग देने से चितिघन प्राप्त होगा।

अतः हमें हस्तगत है—

$$\text{चितिघन} = \frac{\text{ग}(\text{ग}+१)(\text{ग}+२)}{६} = \frac{(\text{ग}+१)^{३}-(\text{ग}+१)}{६}.$$

(६) आर्यभट्ट ने ग प्राकृतिक संख्याओं के वर्गों के योग को 'वर्ग चितिघन' और उनके घनों के योग को 'घन चितिघन' कहा है। इनका मान निकालने के लिए आर्यभट्ट ने २२ वाँ श्लोक दिया है—

सैकसगच्छपदानां क्रमात्त्रिसंवर्गितस्य षष्ठोंऽशः ।
वर्गचितिघनस्स भवेच्चितिवर्गो घनचितिघनश्च ।।२२।।

श्लोक के प्रथम भाग का अर्थ—गच्छ को प्रथम राशि मानो। गच्छ में १ जोड़ो। यह दूसरी राशि हुई। दुगुने गच्छ में १ जोड़ो। यह तीसरी राशि हुई। तीनों राशियों के गुणनफल को ६ से भाग देने से वर्ग चितिघन प्राप्त होगा। अतः

$$१^२+२^२+३^२+\ldots\ldots+ग^२=\frac{ग\,(ग+१)\,(२ग+१)}{६}.$$

श्लोक के अन्तिम भाग का अर्थ—चिति का वर्ग घनचिति घन होता है। अतएव

$$१^३+२^३+३^३+\ldots\ldots+ग^३=\left\{\frac{ग}{२}\,(ग+१)\right\}^२ ।$$

ब्रह्मगुप्त

श्रेढ़ियों पर ब्रह्मगुप्त का कार्य भी उल्लेखनीय है। इतना ही नहीं, ब्रह्मगुप्त ने सूत्र अधिक स्पष्ट भाषा में दिये हैं। हम यहाँ ब्राह्मस्फुट सिद्धान्त के तत्सम्बन्धी श्लोक देते हैं।

(i) श्लोक १७—

पदमेकहीनमुत्तरगुणितं संयुक्तमादिनाऽन्त्यधनम् ।
आदियुतान्त्यधनार्धं मध्यधनं पदगुणं गणितम् ।।१७।।

इस श्लोक से समान्तर श्रेढ़ी के सर्वधन का वही सूत्र निकलता है जो आर्यभट्ट का सूत्र (ऋ) है।

(ii) श्लोक १८—

उत्तरहीनद्विगुणादिशेषवर्गं धनोत्तराष्टवधे ।
प्रक्षिप्य पदं शेषोनं द्विगुणोत्तरहृतं गच्छः ।।१८।।

इस श्लोक से गच्छ निकालने के लिए यह सूत्र प्राप्त होता है—

$$ग=\frac{\sqrt{(२आ-च)^२+८सच}-(२आ-च)}{२च}$$

यह सूत्र आर्यभट्ट के २० वें श्लोक के सूत्र से अभिन्न है।

(iii) श्लोक १९—

एकोत्तरमेकाद्यं यदीष्टगच्छस्य भवति सङ्कलितम् ।
तद्द्वियुतगच्छगुणितं त्रिहृतं सङ्कलितसङ्कलितम् ।।१९।।

इस श्लोक के पहले भाग से तो संकलित ग का ही सूत्र निकलता है—

$$स_{ग} = \frac{ग\ (ग+१)}{२},$$

किन्तु दूसरे भाग से यह सूत्र प्राप्त होता है—

$$\sum_{१}^{ग} स_{ग} = \frac{ग\ (ग+१)}{२} \cdot \frac{ग+२}{३}.$$

यह सूत्र वही है जो आर्यभट्ट शीर्षक के अन्तर्गत (५) में दिया गया है।

(iv) श्लोक २०—

द्विगुणपदसैकगुणितं तत् त्रिहृतं भवति वर्गसङ्कलितम् ।
घनसङ्कलितं तत्कृतिरेषां समगोलकैश्चितयः ॥२०॥

इस श्लोक से वही सूत्र प्राप्त होता है जो आर्यभट्ट (६) में दिया गया है।

महावीर

महावीर के गणित सार संग्रह के ५ वें अध्याय का शीर्षक 'मिश्रक व्यवहार' है। उक्त अध्याय का अन्तिम भाग **'श्रेढ़ीबद्ध संकलित'** (Summation of Series) है। उक्त भाग में महावीर ने समान्तर श्रेढ़ी, प्राकृतिक संख्याओं, उनके वर्गों और घनों के योग तो दिये ही हैं। इनके अतिरिक्त गुणोत्तर श्रेढ़ी (Geometrical Progression) का प्रकरण भी दिया है। इसी विषय के कुछ सूत्र परिकर्म व्यवहार नामक अध्याय के 'संकलितम्' शीर्षक के अन्तर्गत भी दिये गये हैं। साथ ही कुछ बहुत ही रोचक प्रश्न दिये हैं। अन्त में दो एक नियम **छन्द-शास्त्र** (Prosody) की मात्राओं की संख्या पर भी दिये हैं। हम यहाँ महावीर की कृतियों के कुछ नमूने देते हैं।

(१) श्रेणियों के संकलन से पूर्व महावीर ने एक प्रकरण 'विचित्र कुट्टीकार' दिया है जिसका श्लोक २८९ इस प्रकार है—

परिधिशरा अष्टादश तूणीरस्थाः शराः के स्युः ।
गणितज्ञ यदि विचित्रे कुट्टीकारे श्रमोऽस्ति ते कथय ॥२८९॥

श्लोक का शब्दार्थ न देकर हम उसका आशय आधुनिक परिभाषा में देते हैं।

यदि एक वृत्त दिया हो तो उसके चारों ओर हम ६ समान वृत्त ऐसे खींच सकते हैं जिनमें से प्रत्येक अपने प्रतिवेशी दोनों वृत्तों को छुए और केन्द्रीय वृत्त को भी छुए।

इसी प्रकार इन ६ वृत्तों के चारों ओर ऐसे ही १२ वृत्त खींचे जा सकते हैं। इन १२ वृत्तों के चारों ओर इसी प्रकार के १८ वृत्त खींचना सम्भव है।

अतः पहले चक्र में ६ वृत्त, दूसरे में १२ वृत्त, तीसरे में १८ वृत्त हुए,.........

इसी प्रकार, प वें चक्र में ६ प वृत्त सम्भव होंगे। स्पष्ट है कि प चक्रों में वृत्तों की पूर्ण संख्या

$$= १ + १ \times ६ + २ \times ६ + ३ \times ६ + \ldots\ldots + प \times ६$$

$$= १ + ६\ (१ + २ + ३ + \ldots\ldots + प) = १ + ६\ \frac{प(प+१)}{२}$$

$$= १ + ३\ प(प+१).$$

अब प्रश्न यह है कि यदि किसी चक्र के बाह्य वृत्तों की संख्या दी हो तो समस्त बृत्तों की संख्या क्या होगी—

यदि दी हुई संख्या स है तो स=६ प.

अतः वृत्तों की पूर्ण संख्या $= १ + ३ . \frac{स}{६}\left(\frac{स}{६} + १\right).$

उपरिलिखित श्लोक में यह सूत्र इस रूप में दिया गया है—

$$\frac{(स+३)^{२}+३}{१२}.$$

(२) परिकर्म व्यवहार श्लोक ९५—

गुणसङ्कलितान्त्यधनं विगतैकपदस्य गुणधनं भवति।
तद्गुणगुणं मुखोनं व्येकोत्तरभाजितं सारम् ॥९५॥

इस श्लोक में गुणोत्तर श्रेढ़ी का योग निकालने का सूत्र दिया गया है।

गुण=सार्व अनुपात (Common ratio)

अन्त्यधन = अन्तिम पद

उक्त सूत्र से ग पदों का योग

$$स_{ग} = \frac{अन्त्यधन \times गुण - आदि}{गुण - १}.$$

मान लीजिए कि किसी गुणोत्तर श्रेढ़ी में

गुण=न, आदि=आ,

तो $$स_{ग} = \frac{आ.\ न^{ग-१} \times न - आ}{न - १} = \frac{आ\ (न^{ग} - १)}{न - १}\ ।$$

यह सूत्र गुणोत्तर श्रेढ़ी के योग के आधुनिक सूत्र से अभिन्न है।

उदाहरण—एक व्यक्ति एक नगर से दो मोहरें प्राप्त करता है। वह नगर नगर घूमता है और प्रत्येक नगर में उसे पिछले नगर से तिगुनी मोहरें मिलती हैं। बताओ कि आठवें नगर में उसे कितनी मोहरों की प्राप्ति होगी।

(३) परिकर्म व्यवहार श्लोक १०१—

> असकृद्व्येकं मुखहृतवित्तं येनोद्धृतं भवेत्स चयः।
> व्येकगुणगुणितगणितं निरेकपदमात्रगुणवधाप्तं प्रभवः ॥१०१॥

इस श्लोक के पहले भाग में गुण निकालने की विधि दी गयी है, यदि श्रेढ़ी का 'योग', 'आदि' और 'गच्छ' दिये हों।

भावार्थ—योग को आदि से भाग देकर भजनफल में से १ घटाओ। किसी जाँच भाजक से शेष को भाग दो। भजनफल में से एक घटाकर फिर उसी जाँच भाजक से भाग दो। इसी प्रकार बार बार करते जाओ। यदि अन्त में भजनफल १ आ जाय तो जाँच भाजक ही गुण का मान होगा। अन्यथा किसी और जाँच भाजक से आरंभ करो।

उदाहरण—किसी गुणोत्तर श्रेढ़ी का आदि ३, गच्छ ६ और योग ४०९५ है। गुण उपलब्ध करो।

४०९५ को ३ से भाग देने से भजनफल १३६५ आता है।

भजनफल में से १ घटाने पर १३६४ प्राप्त होते हैं।

यतः ४ से १३६४ भाज्य है, अतः हम ४ को जाँच भाजक मानकर आगे चलते हैं। शेष विधा इस प्रकार होगी—

$$\frac{१३६४}{४} = ३४१;$$

$$३४१ - १ = ३४०;$$

$$\frac{३४०}{४} = ८५;$$

$$८५ - १ = ८४;$$

$$\frac{८४}{४} = २१;$$

$$२१ - १ = २०;$$

$$\frac{२०}{४} = ५;$$

$५-१=४;$

$\frac{४}{४}=१.$

अतः ४ ही गुण का मान हुआ।

यह विधि इस सिद्धान्त पर आधृत है—

$$\frac{आ\,(न^{स}-१)}{न-१}\div आ=\frac{न^{स}-१}{न-१},$$

$$\frac{न^{स}-१}{न-१}-१=\frac{न^{स}-न}{न-१}$$

$$\frac{न^{स}-न}{न-१}\div न=\frac{न^{स-१}-१}{न-१}.$$

शेष क्रिया इस व्यंजक (Expression) से स्पष्ट हो जाती है।

श्लोक के दूसरे भाग में 'आदि' निकालने की विधि दी गयी है, यदि श्रेढ़ी का 'योग', 'गच्छ' और 'गुण' दिये हों।

भावार्थ—गुण में से एक घटाकर शेष से योग को गुणा करो। गुण का गच्छवाँ घात लेकर उसमें से एक घटा दो। इस शेष से पिछले गुणनफल को भाग दो तो 'आदि' प्राप्त हो जायगा।

इस क्रिया में यह सिद्धान्त निहित है—

$$\frac{आ\,(न^{स}-१)}{न-१}\times(न-१)=आ\,(न^{स}-१);$$

$$\frac{आ\,(न^{स}-१)}{न^{स}-१}=आ\,।$$

(४) यदि 'गुण', 'योग' और 'आदि' दिये हों तो 'गच्छ' निकालने के लिए परिकर्म व्यवहार में श्लोक १०३ दिया गया है—

एकोनगुणाभ्यस्तं प्रभवहृतं रूपसंयुतं वित्तम्।
यावत्कृत्वो भक्तं गुणेन तद्वारसम्मितिर्गच्छः ॥१०३॥

भावार्थ—गुण में से १ घटाकर शेष से योग को गुणा करो। गुणनफल को 'आदि' से भाग देकर १ जोड़ो। इस अन्तिम फल को बार बार गुण से भाग दो। देखो कि गुण उसमें कितनी बार जाता है। उक्त संख्या ही 'गच्छ' का मान होगी।

यह विधि इस सिद्धान्त पर आधृत है—

$$\frac{\text{आ}\,(\text{न}^{\text{स}}-१)}{\text{न}-१}\times(\text{न}-१)=\text{आ}\,(\text{न}^{\text{स}}-१)\,;$$

$$\frac{\text{आ}\,(\text{न}^{\text{स}}-१)}{\text{आ}}=\text{न}^{\text{स}}-१;$$

$$(\text{न}^{\text{स}}-१)+१=\text{न}^{\text{स}}\text{।}$$

उदाहरण—किसी श्रेढ़ी में प्रथम पद=५, गुण=२, योग=१२७५; पदों की संख्या निकालो।

क्रिया इस प्रकार होगी—

$$१२७५\times(२-१)=१२७५;$$

$$\frac{१२७५}{५}=२५५;$$

$$२५५+१=२५६;$$

$$\frac{२५६}{२}=१२८\,;\quad \frac{१२८}{२}=६४;\quad \frac{६४}{२}=३२;$$

$$\frac{३२}{२}=१६\,;\ \frac{१६}{२}=८;\ \frac{८}{२}=४;$$

$$\frac{४}{२}=२;\ \frac{२}{२}=१;$$

स्पष्ट है कि २५६ में गुण ८ बार जाता है। अतः गच्छ=८।

(५) एक रोचक प्रश्न मिश्रक व्यवहार के ३३२$\frac{१}{२}$ वें श्लोक में दिया गया है—

नन्द्यावर्ताकारं चतुस्तराः षष्ठिसमघाटताः।
सर्वेष्टकाः कति स्युः श्रेढ़ीबद्धं ममाचक्ष्व ॥३३२$\frac{१}{२}$॥

भावार्थ—एक ठोस नन्द्यावर्त (स्वस्तिका) के आकार का है जो ईंटों की कई परतों से बनाया गया है। यदि ठोस में चार परत हों और सबसे ऊपरी परत में ६० ईंटें हों तो ठोस में कुल कितनी ईंटें होंगी।

उक्त प्रश्न को ठीक प्रकार से समझने के लिए ३३०$\frac{१}{२}$ वाँ श्लोक भी पढ़ना होगा—

तरवर्गो रूपोनस्त्रिभिर्विभक्तस्तरेण सङ्गुणितः।
तरसङ्कलिते स्वेष्टप्रताडिते मिश्रतः सारम् ॥३३०$\frac{१}{२}$॥

इस प्रकार की संरचनाओं (Structures) में सबसे ऊपर के परत में सबसे कम ईंटें होती हैं और प्रत्येक निचले परत की लम्बाई अथवा चौड़ाई में एक ईंट बढ़ती जाती है। यदि सबसे ऊपर के परत में ईंटों की संख्या 'आ' हो और परतों की संख्या 'स', तो उपरिलिखित श्लोक का भावार्थ सांकेतिक भाषा में इस प्रकार लिखा जायगा––

$$\text{ईंटों की संख्या} = \frac{\text{स}^{२} - १}{३} \times \text{स} + \text{आ} \times \frac{\text{स}\,(\text{स} + १)}{२}.$$

बग़दाद

अलख्वा रिज़्मी

बग़दाद के तत्कालीन गणितज्ञों में अलख्वा रिज़्मी सबसे प्रसिद्ध हुआ है। इसका असली नाम अबू अबदुल्ला था। यह ख्वारिज़्म प्रदेश का रहने वाला था। इसलिए इसका नाम मुहम्मद इब्नमूसा अलख्वा रिज़्मी पड़ा। इसका जीवन काल ८२५ ई० के आस पास था। यह बग़दाद के राजा अलमामून के दरबारियों में से था। इसने अंकगणित पर एक पुस्तक लिखी, जिसमें **'हिन्दू संख्यान पद्धति'** का विवेचन किया। मौलिक अरबी पुस्तक तो अब अप्राप्य है। किन्तु उसका अनुवाद चेंस्टर के रॉबर्ट (Robert of Chester) अथवा बाथ के एडीलार्ड (Adelard of Bath) ने लॅटिन में किया था, जो अब भी प्राप्य है। उक्त अनुवाद का नाम अलगोरिथमी डी न्यूमेंरो इण्डोरम (Algorithmi de numero Indorum) था। इसी नाम से अंग्रेज़ी शब्द अलगोरिथमस, अलगोरिथ्म और अलगोरिज्म (Algorithmus, Algorithm, Algorism) निकले हैं।

अलख्वा रिज़्मी ने ज्यौतिष पर कई पुस्तकें लिखीं। किन्तु उसकी सबसे प्रसिद्ध पुस्तक बीजगणित पर थी, जिसका नाम इल्म-अल-जब्र बल मुकाबला था। इस पुस्तक का उल्लेख हम इस अध्याय के आरंभ में कर चुके हैं। कुछ लोग इस नाम का अनुवाद लघुकरण (Reduction) और निरसन (Cancellation) करते हैं। कुछ अन्य अनुवादकों ने इसका अर्थ पुनःस्थापन (Restoration) और समीकरण (Equation) भी दिया है। किन्तु इसमें तनिक भी संदेह नहीं कि उक्त पुस्तक के लॅटिन अनुवादों से ही शब्द अलजब्र यूरोप में पहुँचा। और उसी से आधुनिक शब्द ऐंलजब्रा बना। उन्नीसवीं शती के मध्य तक इस शब्द से केवल समीकरण विज्ञान का बोध होता था। किन्तु पिछले सौ वर्ष में उक्त शब्द समस्त बीजगणित विज्ञान का पर्याय बन गया है।

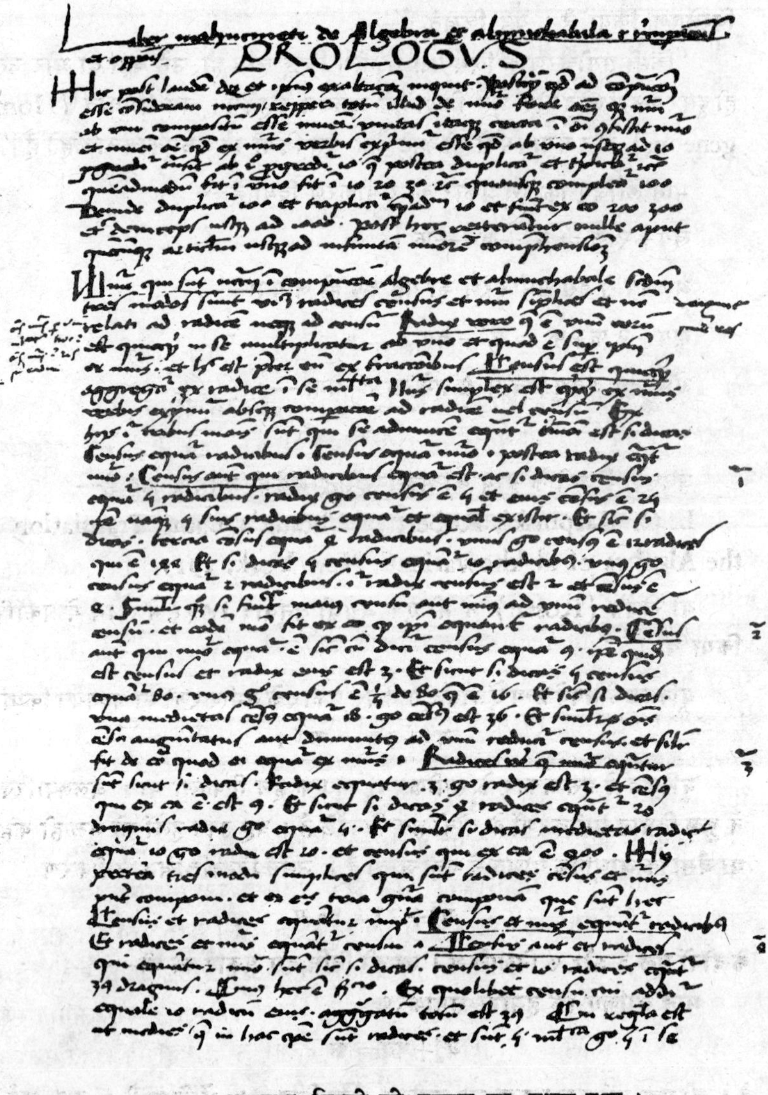
PROLOGUS

अलख्वा रिज़्मी की पुस्तक का प्रथम पृष्ठ ।

[जिन ऐण्ड कम्पनी की अनुज्ञा से, डेविड् यूजीन स्मिथ कृत 'हिस्ट्री ऑफ़ मैथेमैटिक्स' से प्रत्युत्पादित ।]

हम एक पिछले अध्याय में बहाउद्दीन के ख़ुलासतुल हिसाब का उल्लेख कर

चुके हैं। उक्त पुस्तक में लेखक ने अलख्वा रिज़्मी के ग्रन्थ के नाम का बहुत सुन्दर विश्लेषण किया है। वह लिखते हैं—

"किसी समीकरण के जिस पक्ष में ऋण चिह्न लगा हो, उसे बढ़ा दो और उतना ही दूसरे पक्ष में जोड़ दो। इस क्रिया को अलजब्र कहते हैं। तब समघात (Homogeneous) और समान पदों को काट दो। इस क्रिया को अलमुक़ाबला कहते हैं।"

मान लीजिए कि इस प्रकार का समीकरण दिया है—

खय+२ फ = य^२+खय—फ।

अलजब्र से इस समीकरण का यह रूप हो जायगा—

खय+२ फ+फ = य^२+खय।

और तब अलमुकाबला से हमें प्राप्त होगा—

३ फ=य^२।

अलख्वा रिज़्मी के ग्रन्थ का सबसे प्रसिद्ध अंग्रेजी अनुवाद यह है—

L. C. Karpinski, Robert of Chester's Latin Translation of the Algebra of al-khowarizmi, New York, 1915.

यों रोज़ॅन (Rosen) ने भी एक अंग्रेज़ी अनुवाद १८३१ में लंदन में प्रकाशित किया था।

यूक्लिड ने अपने ग्रन्थ ऍलीमॅन्ट्स में इस प्रकार के समीकरणों का अध्ययन किया है,

य^२+कय = क^२।

यूक्लिड ने इस प्रकार के समीकरणों का एक हल निकाला था। अलख्वारिज़्मी ने कुछ द्विघात समीकरणों के दोनों हल निकाले हैं। वह उक्त हलों को मूल ही कहता था जैसा कि आधुनिक गणित में कहा जाता है। उसने निम्नलिखित समीकरण

य^२+२१=१० य

के दोनों मूल ३ और ७ निकाले थे। उसकी विधि इस प्रकार की थी—

मान लीजिए कि हमारा समीकरण

य^२+पय= फ

है। तो एक वर्ग इस प्रकार का बनाइए जैसा चित्र ३५ में दिया है। इस वर्ग में अछादित भागों का क्षेत्रफल (य^२+पय) है। अतएव यह क्षेत्रफल दिये हुए समीकरण से फ के समान होगा। समीकरण के बाम पक्ष को पूर्ण वर्ग बनाने के लिए उसमें

चारों कोनों के छादित वर्ग जोड़ने होंगे, जिनमें से प्रत्येक का क्षेत्रफल $\frac{१}{१६}$ प^{२} है। अतः चारों का क्षेत्रफल मिलाकर $\frac{१}{४}$ प^{२} हुआ। इसके जोड़ने से हमें प्राप्त हुआ—

(य+$\frac{१}{२}$ प)^{२} = फ+$\frac{१}{४}$ प^{२}।

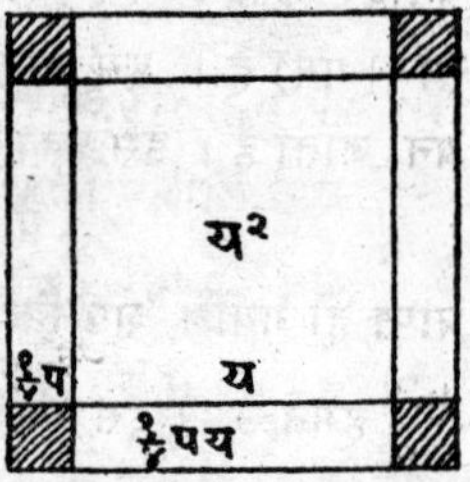

चित्र ३५—अलख्वा रिज़्मी के समीकरण का एक वर्ग।

समीकरण के दक्षिण पक्ष का मूल निकाल कर वह य+$\frac{१}{२}$ प का मान निकाल लेता था। और इस प्रकार य का मान निकल आता था। किन्तु दक्षिण पक्ष का वर्ग मूल निकालने में वह बहुधा धनात्मक चिह्न ही लिया करता था। अतएव इस प्रकार वह अधिकांश समीकरणों का एक ही मूल निकाला करता था। उसने उपरिलिखित विधि शब्दों में इस प्रकार व्यक्त की है—

" 'मूलों की संख्या' को आधा करो। लब्ध संख्या को उसी से गुणा करो। वर्गफल को दक्षिण पक्ष में जोड़कर योग का वर्ग मूल निकाल लो। इस वर्ग मूल में से मूलों की संख्या का आधा घटा दो। शेष फल ही मूल का मान होगा।"

हम यह क्रिया समीकरण

य^{२}+१० य=३९

पर लगाते हैं, जिसको उसने इसी प्रकार हल किया था। इस समीकरण में 'मूलों की संख्या' १० है। इसे आधा करने से ५ प्राप्त हुए। ५ को ५ से गुणा करने पर हमें २५ हस्तगत हुए। २५ को ३९ में जोड़ने से योगफल ६४ हुआ। ६४ का वर्ग मूल ८ आया। ८ में से ५ घटाने से ३ प्राप्त हुए। यही 'य' का मान है।

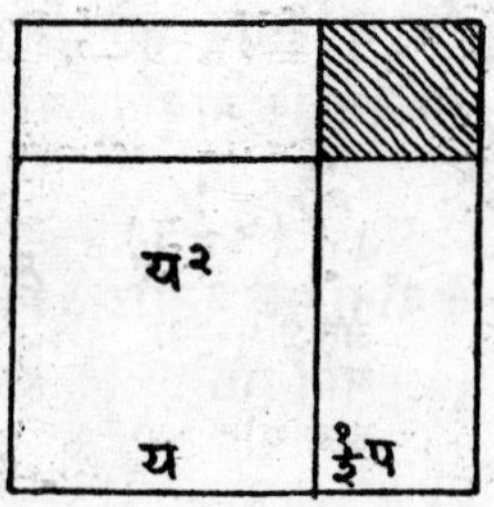

चित्र ३६—अलख्वा रिज़्मी के समीकरण का एक अन्य वर्ग।

इस प्रसर में एक बात बड़ी अद्भुत दिखाई पड़ती है। अलख्वा रिज़्मी ने 'मूलों की संख्या' पद का प्रयोग किया है। उपरिलिखित व्याख्या से स्पष्ट है कि समीकरण

य^{२}+प य = फ

में 'मूलों की संख्या' से अलख्वा रिज़्मी का तात्पर्य 'प' से था। आधुनिक गणित हमें बताता है कि उक्त समीकरण के मूलों का जोड़ (—प) होता है। इससे यह निष्कर्ष निकलता है कि कदाचित् अलख्वा रिज़्मी को समीकरण सिद्धान्त का भी आभास मिल चुका था।

अलख़्वा रिज़्मी ने उपरिलिखित समीकरण को हल करने की एक दूसरी विधि भी दी है। वह विधि भी ज्यामितीय ही है। पहले एक वर्ग इस प्रकार का बनाइए जैसा चित्र ३६ में दिया हुआ है। इस वर्ग में अछादित भागों का क्षेत्रफल (य^2+पय) है। इस आकृति के एक कोने में $\frac{1}{2}$ प का वर्ग जोड़ देने से एक पूर्ण वर्ग बन जाता है। इस प्रकार हमें समीकरण

$$\text{य}^2+\text{प य}+\tfrac{1}{4}\text{प}^2 = \tfrac{1}{4}\text{प}^2+\text{फ}$$

प्राप्त हो गया। शेष क्रिया पहले की भाँति है।

हमने ऊपर इस समीकरण

$$\text{य}^2+२१=१० \text{ य}$$

का भी उल्लेख किया है। यह समीकरण इस प्रकार का है—

$$\text{य}^2+\text{फ}=\text{पय}$$

अलख़्वा रिज़्मी इसे हल करने की एक अन्य विधि देता है। हमें हस्तगत है

$$\text{फ} = \text{पय}-\text{य}^2=\text{य}\ (\text{प}-\text{य})$$

$$= (\tfrac{1}{2}\text{प})^2-(\tfrac{1}{2}\text{प}-\text{य})^2$$

$$\therefore\quad (\tfrac{1}{2}\text{प}-\text{य})=\tfrac{1}{4}\text{प}^2-\text{फ}।$$

अतः $\tfrac{1}{2}\text{प}-\text{य}=\sqrt{\tfrac{1}{4}\text{प}^2-\text{फ}}$।

अतएव $\text{य}=\tfrac{1}{2}\text{प}-\sqrt{\tfrac{1}{4}\text{प}^2-\text{फ}}$।

इस विधि से हम उपरिलिखित समीकरण का हल इस प्रकार निकालेंगे—

$$२१=१० \text{ य}-\text{य}^2=\text{य}\ (१०-\text{य})$$

$$=२५-(५-\text{य})^2.$$

$$\therefore\ (५-\text{य})^2=२५-२१=४.$$

$$\text{अतः}\ ५-\text{य} = \sqrt{४}.$$

अब यदि $\sqrt{४}$ का धनात्मक मान लिया जाय तो य का मान ३ प्राप्त होता है और ऋणात्मक मान लेने से ७ हस्तगत होता है।

अलख़्वा रिज़्मी का कार्य गणित के इतिहास की दृष्टि से बड़े महत्त्व का हैं क्योंकि उसीके द्वारा भारतीय संख्यांकों और अरबी बीजगणित का आविर्भाव यूरोप में हुआ।

अन्य लेखक

यों तो उस काल में अरब और ईरान में अनेक गणितज्ञ हुए हैं। किन्तु उनकी विशेष रुचि ज्यामिति और ज्यौतिष में रही है। उनमें से प्रमुख व्यक्तियों का उल्लेख यथा स्थान किया जायगा। केवल दो चार गणितज्ञ हुए हैं, जिन्होंने बीजगणित में भी रुचि दिखायी है।

अबू हनीफ़ अल दीनावरी ने कुछ पुस्तकें बीजगणित, हिन्दू आगणन विधियों और ज्यौतिष पर लिखी थीं। उसकी मृत्यु ८९५ ई० में हुई। उसका अधिकांश जीवन दीनावर में बीता, जो उसका जन्म स्थान था। उसका पूरा नाम अहमद इब्न दाऊद अबू हनीफ़ा अलदीनावरी था।

अबू ज़ाफ़र अलख़ाज़िन का नाम विशेष रूप से उल्लेखनीय है। उसने **यूक्लीडीय ज्यामिति** और **ज्यौतिष** पर अपनी लेखनी उठायी और शांकवों (Conics) की सहायता से घन समीकरण के हल करने का प्रयत्न किया। उसके जीवन के विषय में केवल इतना पता है कि उसकी मृत्यु ९६५ ई० के आस पास हुई।

अबू कामिल का उल्लेख भी अनुपयुक्त न होगा। यह मिस्र का निवासी था और इसका जीवन काल ९०० के आस पास था। इसका पूरा नाम अबू कामिल शोजा इब्न असलम इब्न मुहम्मद इब्न शोजा था। यह प्रतिभाशाली व्यक्ति था। इसका मुख्य कार्य समीकरणों पर हुआ है यद्यपि इसने पुस्तकें अंकगणित और पञ्चभुज और दशभुज पर भी लिखी हैं।

उसी समय के आस पास ही एक लेखक अबी याक़ूब अल्नदीम हुआ है। इसका मुख्य ग्रन्थ किताब अलफ़हरिस्त (सूचियों की पुस्तक) था जो इसने लगभग ९८७ ई० में लिखा था। उक्त पुस्तक में इसने बहुत से यूनानी और मुसलमान गणितज्ञों की जीवनियाँ दी थीं।

(६) १००० से १५०० ईसवी तक

यूरोप

जिन ५०० वर्ष का हम उल्लेख कर रहे हैं, उनमें बीजगणितज्ञ बहुत कम हुए हैं। फ्रांस का एक गणितज्ञ हुआ है जीन दः म्यूरिस (Jean de Muris)। इसका जन्म नॉर्मण्डी (Normandy) में १२९० के आस पास हुआ था और मृत्यु १३६० के लगभग। इसके प्रिय विषय थे अंकगणित, ज्यौतिष और संगीत। इसने लगभग

१३२१ में अंकगणित पर कई पुस्तकें लिखी थीं। इसकी सबसे प्रसिद्ध पुस्तक क्वाड्री-पार्टीटम (Quadripartitum) थी जो पद्य में लिखी गयी थी। उक्त पुस्तक में बीजगणित का भी समावेश था। इसकी कृतियों की सूची इस ग्रन्थ में दी गयी है—

A. Nagl : Abhandlungen. V, 135; p. 139.

इसने बीजगणितीय समीकरणों का भी अध्ययन किया है। उक्त समीकरणों में एक तो

$$२\frac{७}{९}य^{२}=१००.$$

है जिसे अलख्वा रिज़्मी और फ़िबोनाकी ने भी हल किया था। इसके दो अन्य समीकरण उल्लेखनीय हैं—

$$३ य + १८ = य^{२}$$

और $$य^{२} + १२ = ८ य ।$$

लेखक की संगीत सम्बन्धी पुस्तक म्यूज़िका स्पॅकुलेटिवा (Musica Speculativa) भी प्रसिद्ध हो गयी है जो उसने १३२३ में लिखी थी। उक्त पुस्तक में उसने समस्त बाजों का विवरण दिया है जो उस समय प्रचलित थे।

चौदहवीं शताब्दी में ही एक अन्य फ्रेंच लेखक हुआ है **निकोल ओरेँज़्मे** (Nicole Oresme)। इसका जन्म सम्भवतः १३२३ में केन (Caen) में हुआ था। यह पेरिस के एक कॉलिज में कुछ दिन प्राध्यापक रहा। यह पंचम चार्ल्स (Charles) का राज दरबारी था और इसका प्रवेश अर्थशास्त्र में भी था। इसी के बनाये हुए सिद्धान्तों पर चार्ल्स ने अपने राजकीय सिक्के बनवाये थे। इसकी मृत्यु लिसो (Lisieux) में १३८२ में हुई। जीवन के अन्तिम कई वर्ष यह इसी नगर का पादरी रहा।

ओरेँज़्मे ने बीजगणित और ज्यामिति पर कई पुस्तकें लिखीं और अरस्तू की एक पुस्तक का अनुवाद भी किया। इसकी एक पुस्तक ऐँल्गोरिज़्मस प्रोपोर्शनम (Algorismus Proportionum) प्रसिद्ध हो गयी है। उक्त ग्रन्थ में पहले पहल भिन्नात्मक घातांकों का प्रयोग किया गया है। $७^{\frac{१}{२}}$ और $५^{\frac{१}{४}}$ को यह क्रमशः इस प्रकार लिखा करता था—

$$\frac{१}{२}\,७^{घ} \quad और \quad \frac{१}{४}\,५^{घ}$$

$६^{२\frac{१}{३}}$ को लिखने के इसके ये दो ढंग थे——

$२^{घ}\ \frac{१}{३}$	६	और	$\frac{घ.२}{१.३}$	६

लगभग १३६० में ओरॅज़्मे ने एक अन्य ग्रन्थ लिखा——

Tractatus de figuratione potentiarum et mensurarum difformitatum.

उक्त ग्रन्थ में ओरॅज़्मे ने 'क्रमचय और संचय' (Permutations and Combinations) के कुछ सूत्र दिये हैं। कदाचित् उसे संचयों का सार्विक नियम ज्ञात था यद्यपि उसने उसे स्पष्ट शब्दों में नहीं दिया है। किन्तु उसने इस प्रकार

$$^{६}\text{स}_{४}=१५, \qquad ^{६}\text{स}_{५}=६$$

के कई विशिष्ट उदाहरण दिये हैं।

चीन

लाइ येह का जीवन काल ११७८–१२६५ था। जीवन के प्रारम्भिक वर्षों में यह जन सेवी था और १२३२ में यह चून चौ का राज्यपाल हो गया। इसकी प्रसिद्ध पुस्तक 'त्सो युअन है किंग' है जो इसने सम्भवतः १२४८ में लिखी थी। उक्त शीर्षक का अर्थ 'वृत्त माप का समुद्र दर्पण' है। यह ग्रन्थ और इसका एक अन्य ग्रन्थ 'आइ क्यू येन तुआन' प्राप्य हैं। इसने भी चिन क्यू शाव की भाँति, जिसका उल्लेख हम एक पिछले अध्याय में कर चुके हैं, संख्यात्मक समीकरणों का अध्ययन किया था। इसके उपरिलिखित दोनों ग्रन्थ आज तक चीन में आदर की दृष्टि से देखे जाते हैं।

याँग ह्वी का नाम भी उल्लेखनीय है। यह काइन को याँग भी कहलाता था। इसने १२६१ में एक ग्रन्थ लिखा 'स्याँग किये क्यू चाँग सुअन-फ़ा' जिसका अर्थ होता है "नौ विभागों के गणितीय नियमों का विश्लेषण।" उक्त पुस्तक में इसने समान्तर श्रेढ़ी के संकलन के नियम दिये हैं। इसने अंकगणित पर और भी कई पुस्तकें लिखी हैं। इसका एक अन्य ग्रन्थ है 'स्वान-फ़ा तुंग–पियेन पेन-मो' जिसमें इस श्रेणी

१+(१+२)+(१+२+३)+......
+(१+२+३+.........ग)

का योग दिया है। इसके अतिरिक्त इसने प्राकृतिक संख्याओं के वर्गों के योग का नाम भी दिया था।

चू शी किये येन शान का निवासी था। इसके जीवन के विषय में केवल इतना पता चला है कि बीस वर्ष तक यह स्थान स्थान पर अध्यापन कार्य करता रहा। सन् १२९९ में इसकी पहिली पुस्तक निकली—

'स्वान-हियो-कि-मूंग (गणितीय अध्ययन की भूमिका)'

यह चीन की पहली पुस्तक थी जिसमें ऋणात्मक संख्याओं का उल्लेख किया गया था और चिह्न नियम को स्पष्ट रूप से व्यक्त किया गया था। लेखक की दूसरी पुस्तक 'स्ज़ू-युएन यू-कियेन (चार तत्वों का अनमोल दर्पण)' १३०३ में प्रकाशित हुई। इस पुस्तक में इसने उच्च बीजगणित के कई प्रश्नों को छेड़ा है। एक से अधिक अज्ञात राशियों के समीकरणों को इसने जिस प्रकार हल किया है उससे पता चलता है कि इसे सारणिकों का भी कुछ ज्ञान था। इसने उच्च घात संख्यात्मक समीकरणों के साधन में बड़ी मौलिकता दिखायी है।

भारत

श्रीधर

श्रीधर का उल्लेख हम अंकगणित के अध्याय में कर चुके हैं। हम ने उक्त स्थान पर इसकी '**त्रिशतिका**' का वर्णन किया था। त्रिशतिका के आरम्भ में श्रीधर ने लिखा है—

नत्वा शिवं स्वविरचित पाट्या गणितस्य सारमुद्धृत्य ।
लोकव्यवहाराय प्रवक्ष्यति श्रीधराचार्यः ।।

इससे पता चलता है कि इसने पाटीगणित पर त्रिशतिका के अतिरिक्त एक और ग्रन्थ भी लिखा था। न्यायशास्त्र के एक ग्रन्थ का पता चला है जिसका नाम 'न्याय-कन्दली' था। उसके रचयिता का नाम श्रीधर था जिसके पिता का नाम बलदेव और माता का नाम अब्वोका था। सुधाकर द्विवेदी लिखते हैं कि इस देश की यह परिपाटी रही है कि ज्यौतिषियों के अतिरिक्त अन्य लेखक पुस्तकों में अपना नाम नहीं दिया करते थे। और न्याय कन्दली में लेखक का नाम दिया हुआ है। इससे यह निष्कर्ष निकलता है कि उक्त ग्रन्थ का लेखक कोई ज्यौतिषी था। इसी बिना पर सुधाकर

द्विवेदी यह उक्ति देते हैं कि न्यायकन्दली के रचयिता श्रीधर और त्रिशतिका के लेखक श्रीधर दोनों एक ही व्यक्ति थे।

श्रीधर की सबसे प्रसिद्ध कृति उसकी वर्ग समीकरण के हल की विधि है। उसके बीजगणित सम्बन्धी ग्रन्थ का तो लोप हो चुका है। किन्तु उसके वर्ग समीकरण के हल की विधि कई लेखकों ने उद्धृत की है। हम यहाँ भास्कर का उद्धरण देते हैं। देखिए––

दुर्गा प्रसाद द्विवेदी––(भास्कर का) बीजगणित (लखनऊ) द्वितीयावृत्ति १९१७. इस ग्रन्थ के पृ० ३०९ पर भास्कर ने श्रीधर का सूत्र इस प्रकार दिया है।

चतुराहत वर्ग समै रूपैः पक्षद्वयं गुणयेत्।
पूर्वाव्यक्तस्य कृतेः समरूपाणि क्षिपेत्तयोरेव॥

भावार्थ–(समीकरण के) दोनों पक्षों को अज्ञात राशि के वर्ग के गुणांक के चौगुने से गुणा करो। दोनों में अज्ञात राशि के मौलिक गुणांक का वर्ग जोड़ दो।

श्रीधर के सूत्र का यह पाठ कृष्ण (लगभग १५८०) और रामकृष्ण (लगभग १६४८) ने दिया है। और इसी पाठ को कोलब्रुक ने प्रामाणिक माना है। किन्तु ज्ञानराज ने अपने बीजगणित में, जो उन्होंने १५०३ में लिखा था, उपरिलिखित सूत्र की दूसरी पंक्ति इन शब्दों में दी है ––

अव्यक्त वर्ग रूपैर्युक्तौ पक्षौ ततो मूलम्।

भावार्थ––(समीकरण के) दोनों पक्षों में अज्ञात राशि के (मौलिक) गुणांक का वर्ग जोड़ दो। तत्पश्चात् मूल (निकालो)।

सूर्यदास ने १५४१ में भास्कर के बीजगणित की एक टीका लिखी है। उसमें भी सूत्र की दूसरी पंक्ति का यही पाठ दिया है, और सुधाकर द्विवेदी ने भी इसी पाठ को प्रामाणिक माना है।

दोनों पाठों का आशय एक ही निकलता है। क्रिया इस प्रकार होगी––

मान लीजिए कि हमारा समीकरण

$$\text{क य}^2 + \text{ख य} = \text{ग}$$

है। तो समीकरण के दोनों पक्षों को ४ क से गुणा करने पर हमें प्राप्त होगा––

$$४\,\text{क}^2\,\text{य}^2 + ४\,\text{क ख य} = ४\,\text{क ग}।$$

अतः, दोनों ओर ख^2 जोड़ने से,

$$४\,\text{क}^2\,\text{य}^2 + ४\,\text{क ख य} + \text{ख}^2 = ४\,\text{क ग} + \text{ख}^2,$$

अर्थात् $(२ क य + ख)^२ = ४ क ग + ख^२$ ।

$\therefore$ $२ क य + ख = \sqrt{४ क ग + ख^२}$

$\therefore$ $य = \frac{\sqrt{४ क ग + ख^२} - ख}{२ क}$.

यह विधि हाई स्कूल के विद्यार्थियों को आज भी सिखायी जाती है। इस विधि से हम इस समीकरण

$$६ य^२ + ७ य = ३$$

को हल करते हैं।

२४ से गुणा करने पर समीकरण का यह रूप

$$१४४ य^२ + १६८ य = ७२$$

हो जायगा ।

४९ जोड़ने से,

$१४४ य^२ + १६८ य + ४९ = ७२ + ४९ = १२१.$

अतः $(१२ य + ७)^२ = ११^२.$

$\therefore$ $१२ य + ७ = \pm ११.$

अतएव, $१२ य = \pm ११ - ७ = ४$ अथवा $-१८.$

$\therefore$ $य = \frac{१}{३}$ अथवा $-\frac{३}{२}$ ।

श्रीधर ने समान्तर श्रेढ़ी के भी नियम दिये हैं। उपरिलिखित विधि से उसने समान्तर श्रेढ़ी के पदों की संख्या का सूत्र इस रूप में निकाला है—

$$ग = \frac{\sqrt{८ च यो + (२ आ - च)^२} - २ आ + च}{२ च},$$

जिसमें ग (=गच्छ) पदों की संख्या है, च (=चय) सार्वान्तर है, आ (=आदि) प्रथम पद है, और यो (=योग) श्रेढ़ी के पदों का जोड़ है। हमने इस प्रकार के कई सूत्र पिछले प्रकरणों में भी दिये हैं।

भास्कर

भास्कर के बीजगणित में निम्नलिखित प्रकरणों का समावेश है,

(१) करणियाँ

(२) शून्य गणित

(३) सरल समीकरण
(४) वर्ग समीकरण
(५) कुट्टक।

भास्कर ऋण राशियों के निरूपण के लिए उनके ऊपर बिन्दी लगाया करते थे। उन्हें काल्पनिक राशियों का अस्तित्व स्वीकार नहीं था। उन्होंने एक स्थान पर कहा है "किसी ऋणात्मक राशि का वर्ग मूल हो ही नहीं सकता क्योंकि ऐसी राशि (पूर्ण) वर्ग हो ही नहीं सकती।" अज्ञात राशि के लिए ये 'यावत्तावत (जितना हो उतना)' का प्रयोग करते थे। किन्तु जब कई अज्ञात राशियों का प्रयोग करना होता था तो ये रंगों के नामों का उपयोग करते थे—

कालक, नीलक, पीतक, रूपक ।

यह इन शब्दों के प्रथमाक्षर ले लिया करते थे, जैसे—

का०, नी०, पी०, रू०।

अनिर्णीत समीकरणों का अध्ययन आर्यभट्ट से आरम्भ हो गया था और उसके पश्चात् के सभी भारतीय गणितज्ञों ने उक्त विषय का विवेचन किया था, किन्तु भास्कर ने इस प्रकरण को पराकाष्ठा पर पहुँचा दिया। भास्कर की विधियाँ और उपस्थापन बहुत ही स्पष्ट हैं। इनके कुछ प्रश्नों के हल तो बिलकुल मौलिक हैं। इन्होंने अपनी कृतियों में एकघात अनिर्णीत समीकरणों, युगपद् एकघात समीकरणों और द्विघात समीकरणों—तीनों का साधन किया है। यह बात निर्विवाद रूप से कही जा सकती है कि अनिर्णीत समीकरणों का हल समस्त संसार में सबसे पहले निकालने वाले हिन्दू ही थे। कुछ इतिहासज्ञों को भास्कर की विधियों में डायफ़ॅण्टस के कार्य की छाप दिखाई पड़ती है। किन्तु भास्कर का कार्य डायफ़ॅण्टस की कृतियों से दो बातों में बहुत बढ़ा ा था—

(१) डायफ़ॅण्टस ने कहीं सार्विक समीकरण नहीं लिये हैं। उसने सदैव विशिष्ट मीकरणों का ही अध्ययन किया है। इसके विपरीत भास्कर ने सार्विक समीकरण लेकर उनके साधन की व्यापक विधियाँ दी हैं।

(२) डायफ़ॅण्टस साधारणतः किसी समीकरण का एक ही हल निकाल कर सन्तोष कर लेता था, किन्तु भास्कराचार्य समीकरण के समस्त सम्भव हल निकाल कर ही दम मारते थे।

इसी बिना पर हैंकेल (Hankel) ने कहा है कि अनिर्णीत समीकरणों के साधन

की भारतीय विधियाँ सर्वथा मौलिक थीं और उन पर डायफ़ॅण्टस का तनिक भी प्रभाव नहीं था।

भास्कर ने अनिर्णीत वर्ग समीकरण

$$क\, य^2 + १ = र^2 \qquad (अ)$$

के हल की जो विधि दी है, वह बहुत प्रतिभापूर्ण और मौलिक है। इन्हों ने उसका नाम 'चक्रवाल विधि (Cyclic Method)' रखा है। भास्कर ने उक्त विधि संसार को १२ वीं शताब्दी में दी। यूरोप के गणितज्ञों ने वही विधि १६वीं शताब्दी में निकाली। इसमें सन्देह नहीं कि यूरोपीय गणितज्ञों के हाथ भास्कर की विधि नहीं लगी, अतः उन्हें उक्त समीकरण का हल नये सिरे से निकालना पड़ा। किन्तु उक्त विधि के आविष्कार का प्राथमिक श्रेय भास्कर को ही मिलना चाहिए। वास्तव में पश्चिमी गणितज्ञों गॅलॉयस (Galois), ऑयलर (Euler), लॅग्रांज (Lagrange) ने जो चक्रीय विधि निकाली है, वह भास्कर की विधि का ही उल्टा है। अतः हम श्री गुर्जर के इस कथन से सहमत हैं कि उपरिलिखित समीकरण को 'पॅल का समीकरण' (Pell's Equation) न कहकर 'भास्कर समीकरण' कहना चाहिए।[1]

हम यहाँ भास्कर की विधियों के कुछ नमूने देते हैं। हम इस शब्दावली का प्रयोग करेंगे। उपरिलिखित समीकरण (अ) में

क को गुणक (Multiplier) कहेंगे,

१ अथवा जो संख्या कय^2 में जोड़ी जाय, उसे क्षेपक (Augment) कहेंगे। सार्विक समीकरण

$$क\, य^2 + ख = र^2 \qquad (आ)$$

में ख क्षेपक है।

य को कनिष्ठ (Least) कहेंगे,

र को ज्येष्ठ (Greatest) कहेंगे।

बीजगणित के ४१ वें और ४२ वें श्लोक इस प्रकार हैं—

ह्रस्वज्येष्ठक्षेपकान्न्यस्य तेषां
तानन्यान्वाऽधो निवेश्य क्रमेण।
साध्यान्येभ्यो भावनाभिर्बहूनि
मूलान्येषां भावना प्रोच्यतेऽतः ॥४१॥

१. L.V. Gurjar : ibid p. 137.

वज्राभ्यासौ ज्येष्ठलघ्वोस्तदैक्यं
ह्रस्वं लघ्वोराहतिश्च प्रकृत्या ।
क्षुण्णा ज्येष्ठाभ्यासयुग् ज्येष्ठमूलं
तत्राभ्यासः क्षेपयोः क्षेपकः स्यात् ॥४२॥

प्रथम विधि—

किसी भी संख्या को कनिष्ठ मानकर उसका वर्ग कर दो। वर्ग को गुणक से गुणा करके, पूर्ण वर्ग बनाने के लिए, क्षेपक को जोड़ दो अथवा घटा दो। फल का वर्ग मूल निकालो और लब्धि को ज्येष्ठ कहो।

कनिष्ठ और ज्येष्ठ मूलों और क्षेपक को एक रेखा में लिख दो। फिर इन्हीं तीनों के नीचे तीनों को दुबारा लिख दो। तत्पचात् तिर्यग्गुणन करो अर्थात् कनिष्ठ को ज्येष्ठ से और ज्येष्ठ को कनिष्ठ से गुणा करो। दोनों गुणनफलों को जोड़ दो। अब इस योग को कनिष्ठ मूल कहो।

दोनों कनिष्ठ मूलों के गुणनफल का गुणक से गुणन करो और फल में दोनों ज्येष्ठ मूलों के गुणनफल को जोड़ दो। फल एक ज्येष्ठ मूल होगा।

अज्ञात राशियों के अन्य मानों (Values) के कुलक (Set) निकालने के लिए नये कनिष्ठ और ज्येष्ठ मूल लेकर आगे चलो। नया क्षेपक पिछले क्षेपकों का गुणनफल होगा।

इस विधि से हम निम्नलिखित समीकरण के हल निकालते हैं—

$$३ य^{२} + १ = र^{२}$$ ।

य का सबसे सरल मान १ है। अतः हम इसी को कनिष्ठ मूल मानते हैं।

१ का वर्ग करके ३ से गुणा करने पर ३ प्राप्त होता है।

३ में १ जोड़ने से पूर्ण वर्ग मिलता है।

अतः $र^{२} = ४$

$\therefore$ ज्येष्ठ मूल= २

अब कनिष्ठ मूल, ज्येष्ठ मूल और क्षेपक को इस प्रकार लिखो—

कनिष्ठ मूल	ज्येष्ठ मूल	क्षेपक
१	२	१
१	२	१

अब कनिष्ठ और ज्येष्ठ मूलों के तिर्यग्गुणन का जोड़=२+२=४।

अतः अगला कनिष्ठ मूल ४ हुआ।

अब कनिष्ठ मूलों का गुणनफल १ और ज्येष्ठ मूलों का गुणनफल ४ है।

१ को गुणक ३ से गुणा करके ज्येष्ठ मूलों का गुणनफल ४ जोड़ने का फल = ३+४ = ७।

इस प्रकार अज्ञात राशियों का दूसरा कुलक ४ और ७ प्राप्त हुआ।

मानों का अगला कुलक निकालन के लिए पहले और दूसरे मूलों और क्षेपकों को इस प्रकार लिखो--

कनिष्ठ मूल	ज्येष्ठ मूल	क्षेपक
१	२	१
४	७	१

मूलों के तिर्यग्गुणन का जोड़=७+८=१५। यही कनिष्ठ हुआ।

अब कनिष्ठ मूलों का गुणनफल=४ ।

इसको गुणक से गुणा करने का फल=४×३=१२ ।

और ज्येष्ठ मूलों का गुणनफल=२×७=१४ ।

इन दोनों गुणनफलों का योग=१२+१४=२६ ।

इस प्रकार अगला ज्येष्ठ २६ हो गया और अज्ञात राशियों के मानों का अगला कुलक (१५, २६) प्राप्त हो गया।

अन्य मान निकालने के लिए फिर उसी प्रकार चलो--

कनिष्ठ मूल	ज्येष्ठ मूल	क्षेपक
१	२	१
१५	२६	१

अगला कनिष्ठ मूल =मूलों के तिर्यग्गुणन का जोड़
=१×२६+२×१५=५६ ।

और अगला ज्येष्ठ मूल=१×१५×३+२×२६
=९७.

इस प्रकार मानों का अगला कुलक (५६, ९७) प्राप्त हो गया।

आइए, एक कुलक और निकाल लें--

कनिष्ठ मूल	ज्येष्ठ मूल	क्षेपक
४	७	१
१५	२६	१

अगला कनिष्ठ बराबर है : ४×२६+१५×७=२०९ ।

और अगला ज्येष्ठ बराबर है : ४×१५×३+७×२६=३६२ ।

इस प्रकार इस विधि से हमें निम्नलिखित मान कुलक प्राप्त हो गये––

(१, २), (४, ७), (१५, २६), (५६, ९७), (२०९, ३६२)

इसी ढंग से अनगिनत मान कुलक निकाले जा सकते हैं।

बीजगणित के श्लोक ४३ और ४४ इस प्रकार हैं––

ह्रस्वं वज्राभ्यासयोरन्तरं वा
लघ्वोर्घातो यः प्रकृत्या विनिघ्नः ।
घातो यश्च ज्येष्ठयोस्तद्वियोगो
ज्येष्ठं क्षेपोऽत्रापि च क्षेपघातः ॥४३॥

इष्टवर्गहृतः क्षेपः क्षेपः स्यादिष्टभाजिते ।
मूले ते स्तोऽथवा क्षेपः क्षुणः क्षुण्णे तदा पदे ॥४४॥

दूसरी विधि––

उपरिलिखित क्रिया में तिर्यग्गुणन के पश्चात् दोनों राशियों के जोड़ के बदले उनका अन्तर ले लो और उसी को कनिष्ठ मूल मान लो।

पहले की भाँति दोनों कनिष्ठ मूलों के गुणनफल को गुणक से गुणा करो। फिर दोनों ज्येष्ठ मूलों का गुणनफल निकालो। इन दोनों गुणनफलों का अन्तर ही ज्येष्ठ मूल होगा।

यदि क्रिया के पश्चात् क्षेपक वही आये, जो मौलिक क्षेपक था, तब तो ठीक ही है। किन्तु यदि लब्ध क्षेपक उससे भिन्न हो तो उसके वर्ग मूल से अज्ञात राशियों के लब्ध मानों को भाग दे दो। भजनफल ही अज्ञात राशियों के इच्छित मान होंगे।

यह अन्तिम प्रावधान (Provision) दोनों विधियों पर लागू है।

उदाहरण–– ६ य^2+१=र^2 । (इ)

कनिष्ठ=१ और क्षेपक=३ लेने से ज्येष्ठ=३

कनिष्ठ मूल	ज्येष्ठ मूल	क्षेपक
१	३	३
१	३	३

दूसरी विधि से तो अगला कनिष्ठ शून्य हो जायगा। अतः हम पहली विधि से ही आगे चलते हैं।

कनिष्ठ $=१\times३+१\times३ = ६$

ज्येष्ठ $=१\times१\times६+३\times३ =१५$

मान लीजिए कि $य_१=६$, $र_१=१५$

किन्तु ये राशियाँ समीकरण (इ) को सन्तुष्ट नहीं करतीं, वरन् इस समीकरण को सन्तुष्ट करती हैं--

$$६\ य^२+९=र^२ \text{ क्योंकि } ६.६^२+९=१५^२$$

अतः ९ से भाग देने से, $६.२^२+१=५^२$.

इस प्रकार ९ के वर्ग मूल ३ से $य_१$ और $र_१$ के मानों को भाग देने से हमें य, र के मान २, ५ प्राप्त हो गये।

अब हम इसी विधि से एक और मान कुलक प्राप्त करते हैं।

यदि हम कनिष्ठ ३ और क्षेपक (−५) लें तो ज्येष्ठ=७ ।

आगे की क्रिया इस प्रकार होगी--

कनिष्ठ मूल	ज्येष्ठ मूल	क्षेपक
३	७	−५
३	७	−५

अगला कनिष्ठ मूल $=३\times७+३\times७=४२$ ।

और अगला ज्येष्ठ मूल $=३\times३\times६+७\times७=१०३$ ।

ये मूल निम्नलिखित समीकरण को सन्तुष्ट करते हैं।

$$६\ य^२+२५=र^२ \text{ ।}$$

अतः $\sqrt{२५}$ से इन राशियों को भाग देने से हमें प्राप्त होगा--

$$य=\frac{४२}{५}, \qquad र=\frac{१०३}{५}.$$

अब हम अगला मान कुलक दूसरी विधि से प्राप्त करते हैं।

कनिष्ठ मूल	ज्येष्ठ मूल	क्षेपक
२	५	१
$\frac{४२}{५}$	$\frac{१०३}{५}$	१

अगला कनिष्ठ मूल $= ४२-\frac{२०६}{५}=\frac{४}{५}$;

और अगला ज्येष्ठ मूल $= १०३ - \frac{८४}{५} \times ६ = \frac{११}{५}$ ।

इस प्रकार हमें निम्नलिखित मान कुलक प्राप्त हो गये—

$$(२, ५), \left(\frac{४२}{५}, \frac{१०३}{५}\right), \left(\frac{४}{५}, \frac{११}{५}\right)।$$

शून्य गणित

बीजगणित के 'खषड्विधम' नामक अध्याय के आरंभ में यह श्लोक आता है—

खयोगे वियोगे धनर्णं तथैव
च्युतं शून्यतस्तद्विपर्यासमेति ॥

भावार्थ—शून्य को किसी राशि में जोड़ने अथवा शून्य में किसी राशि को जोड़ने अथवा शून्य को किसी राशि में से घटाने से राशि के चिह्न में कोई परिवर्तन नहीं होता। अर्थात् धनात्मक राशि धनात्मक रहती है और ऋणात्मक राशि ऋणात्मक रहती है। किन्तु शून्य में से किसी राशि को घटाने से राशि में चिह्न परिवर्तन हो जाता है।

आधुनिक बीजगणितीय संकेतलिपि में हम इन सूत्रों को इस प्रकार लिखेंगे—

$(\pm अ) \pm ० = \pm अ;$ $० + (\pm अ) = \pm अ;$

$० \pm ० = ०$; $० - (\pm अ) = \mp अ$ ।

भास्कराचार्य ने इन सूत्रों की उपपत्ति इस प्रकार दी है—

'यदि दो संख्याएँ जोड़नी हों तो पहली संख्या को योज्य और दूसरी को याजक कहते हैं। योज्य और योजक के मध्यस्थ जितना ह्रास योजक का होगा उतना ही योगफल का होगा। इस प्रकार योज्य में योजक का समावेश हो जाने से योगफल में भी योजक के समान ही वृद्धि होगी। अतः योज्य के समान योगफल हो जायगा। और जब योज्य-योजक में योज्य के समान ह्रास होगा तो योगफल में भी उतना ही ह्रास होगा। अतः योजक के तुल्य योगफल हो जायगा।'

इस प्रकार शून्य को किसी राशि में जोड़ने से अथवा शून्य में किसी राशि को जोड़ देने से राशि ज्यों की त्यों रह जाती है।

यदि एक संख्या में से दूसरी घटानी हो तो बड़ी संख्या को वियोज्य और छोटी को वियोजक कहते हैं। वियोज्य का वियोजक के समान ह्रास होने से उनके अन्तर में

भी उतना ही ह्रास होगा। अर्थात् वियोज्य में से जितना घटायेंगे उतना ही अन्तर आयेगा। इसलिए शून्य को किसी राशि में से घटाने से राशि ज्यों की त्यों रह जाती है।

वियोज्य का जितना ह्रास होता जायेगा उतना ही ह्रास अन्तर का भी होता जायेगा। यदि वियोज्य ७ और वियोजक ४ है तो अन्तर ३ हुआ। यदि वियोज्य ७ के बदले ६ हो तो अन्तर २ होगा। यदि वियोज्य ५ हो तो अन्तर १ होगा। यदि वियोज्य भी ४ हो तो अन्तर शून्य होगा। अब स्पष्ट है कि यदि वियोज्य और घटे तो अन्तर ऋणात्मक हो जायेगा। यदि वियोज्य ३ हो तो अन्तर (—१) हो जायेगा। यदि वियोज्य २ हो जाय तो अन्तर (–२) हो जायेगा।

इन्हीं फलों को हम सारणी रूप में इस प्रकार लिख सकते हैं—

७ — ४ = ३ , ६ — ४ = २

५ — ४ = १ , ४ — ४ = ०

३ — ४ = –१ , २ — ४ = –२

१ — ४ = –३ , ० — ४ = –४

इस प्रकार हम देखते हैं कि जो राशि घटायी जाती है यदि वह धनात्मक हो तो ऋणात्मक हो जाती है। इसी प्रकार हम यह भी सिद्ध कर सकते हैं कि यदि शून्य में से कोई ऋणात्मक राशि घटायी जाय तो वह धनात्मक बन जायगी।

बीजगणित का अगला श्लोक यह है—

वेधादौ वियत्खस्य खं खेन घाते
खहारो भवेत्खेन भक्तश्च राशिः॥ ५॥

जैसे शून्य का योग और अन्तर दो प्रकार का होता है, वैसे ही गुणन और भाजन भी दो प्रकार का होता है। वर्ग, वर्ग मल, घन और घन मूल ये एक ही प्रकार के होते हैं, क्योंकि इनके करने में किसी दूसरी संख्या की अपेक्षा नहीं रहती।

शून्य को किसी राशि से गुणा करने अथवा किसी राशि को शून्य से गुणा करने पर गुणनफल शून्य ही होता है।

शून्य को किसी राशि से भाग देने से फल शून्य ही होता है। किन्तु किसी राशि को शून्य से भाग देने का फल 'खहर' अथवा 'खच्छेद' होता है।

'खहर' अथवा 'खच्छेद' का अर्थ है वह राशि जिसका हर (Denominator) शून्य हो।

आधुनिक संकेतलिपि में ये सूत्र इस प्रकार लिखे जायँगे—

$$० \times अ = ०, \quad अ \times ० = ०$$

$$\frac{०}{अ} = ०, \quad \frac{अ}{०} = \text{खहर}$$

उपपत्ति—

अंक के अभाव में शून्य चिह्न ० लिखा जाता है। यदि एक राशि को दूसरी से गुणा करना हो तो पहली को गुण्य (Multiplicand) और दूसरी को गुणक (Multiplier) कहते हैं। गुण्य को जितनी बार आवृत्ति की जाय, उसी हिसाब से गुणनफल प्राप्त होता है। इस कारण गुण्य के अभाव से गुणनफल का भी अभाव हो जाता है।

इसी प्रकार भाज्य के ह्रास से लब्धि का भी ह्रास होता जाता है। यदि भाज्य शून्य हो तो लब्धि भी अवश्य ही शून्य होगी। जैसे जैसे भाजक का ह्रास होता जायगा वैसे वैसे लब्धि की वृद्धि होती जायगी। जब भाजक का परम ह्रास हो जायगा तब लब्धि की परम वृद्धि हो जायगी। इसीलिए उक्त लब्धि को अनन्त (Infinity) कहा जाता है।

भास्कर के वर्ग और घन संबन्धी सूत्र इस प्रकार लिखे जायँगे—

$$0^2 = 0^3 = 0; \ \sqrt{0} = 0; \ \sqrt[3]{0} = 0;$$

बीजगणित का छठा श्लोक इस प्रकार है—

अस्मिन्विकारः खहरे न राशा-
वपि प्रविष्टेष्वपि निःसृतेषु।
बहुष्वपि स्याल्लयसृष्टिकाले
ऽनन्तेऽच्युते भूतगणेषु यद्वत् ॥ ६ ॥

भावार्थ—इस खहर राशि में कोई राशि जोड़ दी जाय अथवा उसमें से कोई राशि घटा दी जाय तो उसमें कोई विकार नहीं होता। जैसे प्रलय काल में परमेश्वर के शरीर में अनेक जीव प्रविष्ट हो जाते हैं, किन्तु इससे उनके शरीर में कोई मुटापा नहीं आ जाता और सृष्टि के समय परमेश्वर के शरीर में से अनेक जीव निकल आते हैं, किन्तु शरीर दुबला नहीं पड़ जाता। यद्यपि इस 'खहर' राशि में कोई अंक जोड़ने आदि से उसके स्वरूप में विकार पड़ जाता है तो भी उसका अनन्तत्व नष्ट नहीं होता। जैसे अवतारों के भेद से ईश्वर के स्वरूप में तो अन्तर पड़ जाता है, किन्तु उसके ईश्वरत्व में कोई विकार नहीं आता। ऐसे ही 'खहर' राशि को मानना चाहिए।

मान लीजिए कि $\frac{५}{०}$ में ६ जोड़ने हैं। तो यदि इन राशियों पर अंकगणित के नियम लगाये जायँ तो क्रिया इस प्रकार की होगी--

$$\frac{५}{०} + ६ = \frac{५}{०} + \frac{६}{१}$$

$$= \frac{५ \times १ + ० \times ६}{० \times १} = \frac{५}{०}$$

इस प्रकार 'खहर' राशि $\frac{५}{०}$ ज्यों की त्यों रह गयी और उसके स्वरूप में कोई विकार नहीं पड़ा। किन्तु अब मान लीजिए कि हमें $\frac{५}{०}$ में $\frac{२}{७}$ जोड़ना है। तो अंकगणित के नियमों के अनुसार क्रिया इस प्रकार होगी--

$$\frac{५}{०} + \frac{२}{७} = \frac{५ \times ७ + ० \times २}{० \times ७}$$

$$= \frac{३५}{०}.$$

यह भी 'खहर' राशि ही है। इस दशा में उक्त राशि के स्वरूप में तो विकार हो गया। किन्तु उसकी प्रकृति में कोई अन्तर नहीं पड़ा। जैसी 'खहर' राशि $\frac{५}{०}$ है वैसी ही $\frac{३५}{०}$ है। हम यह नहीं कह सकते कि ५ को ० से भाग देने से जो भजनफल आता है, वह ३५ को ० से भाग देने से जो लब्धि आती है, उससे भिन्न है। 'खहर' राशि के स्वरूप में तो विकार हो जाता है, किन्तु उसकी अनन्तता का ह्रास नहीं होता।

एशिया के अन्य देश

अंकगणित के अध्याय में हम बग़दाद के अल-करख़ी का उल्लेख कर चुके हैं। इसकी पुस्तक काफ़ी-फ़िल-हिसाब मुख्यतः अंकगणित पर लिखी गयी है। किन्तु उसमें कुछ सूत्र बीजगणित के भी दिये गये हैं, जैसे--

$$(१० क + क)\ (१० ख + ख) = [(१० क + क)\ ख + क\ ख)]\ १० + क\ ख$$

और $$(१० क + ख)\ (१० क + ग) = (१० क + ख + ग)\ क.\ १० + ख\ ग।$$

इसके अतिरिक्त कुछ सूत्र इस प्रकार के भी दिये गये हैं--

$$\left(\frac{क + ख}{२}\right)^२ - \left(\frac{क - ख}{२}\right)^२ = क\ ख\ ।$$

यह सूत्र उसने संभवतः हिन्दुओं से प्राप्त किया था।

अल-करख़ी ने अपनी कृतियों में करणियों का भी विवेचन किया है। उसमें इस प्रकार के सूत्र दिये गये हैं—

$$\sqrt{८} + \sqrt{१८} = \sqrt{५०}, \quad \sqrt[३]{५४} - \sqrt[३]{२} = \sqrt[३]{१६} \text{ ।}$$

अल-करख़ी के वर्ग मूलों के निकट मानों के सूत्रों में ये उल्लेखनीय हैं—

$$\sqrt{क^२ + ट} = क + \frac{ट}{२क + १},$$

और यदि $ट \leqslant क$ तो $\sqrt{क^२ + ट} = क + \frac{ट}{२क}$ ।

किन्तु अल-करख़ी की सबसे प्रसिद्ध पुस्तक फ़ख़री है जो उसने बीजगणित पर लिखी थी। इस पुस्तक के नाम के संबन्ध में स्मिथ के इतिहास भाग २ के पृष्ठ ३८८ का यह पैरा पठनीय है—

"बीजगणित का नाम कदाचित् फ़ख़री पड़ जाता, क्योंकि अल-करख़ी ने, जो अरब के सबसे बड़े गणितज्ञों में से था, अपनी पुस्तक को यही नाम दिया था। जैसे अलख़्वारिज्मी की कृति का लॅटिन में अनुवाद हुआ था, यदि वैसे ही अल-करख़ी के ग्रन्थ का भी हुआ होता तो कदाचित् यूरोपीय जगत् उसी के नाम की ओर आकृष्ट हो जाता। अल-करख़ी लिखता है कि उस समय की जनता पर जितना अत्याचार और हिंसा हुई, उसके कारण उसके कार्य में बड़ी बाधाएँ पड़ीं। आगे वह कहता है कि एक दिन 'भगवान् ने जनता की सहायता के लिए एक रक्षक अबू ग़ालिब भेजा जो शासनिक कार्य में एकाकी था, दीनानाथ था और मंत्रियों का मंत्री था।' अबू ग़ालिब का लोकप्रिय नाम फख़्र-उल-मुल्क था। अतः उसी के नाम पर अल-करख़ी ने अपनी कृति का नाम अल-फ़ख़री रखा।"

'फ़ख़री' में निम्नलिखित विषयों का समावेश है—

१. बीजगणितीय राशियाँ
२. मूल
३. एकघात और द्विघात समीकरण
४. अनिर्णीत समीकरण
५. भाषायुक्त प्रश्नों का साधन।

अलख़्वारिज़्मी अज्ञात राशि को 'जिद्र' और उसके वर्ग को 'मल' कहता था। अल-करख़ी ने उक्त शब्दावली को और आगे बढ़ाया। उसके कुछ शब्द इस प्रकार के थे—

$य^3$=कब

$य^4$=मल मल

$य^5$=मल कब

$य^6$=कब कब

$य^7$=मल मल कब ।

यह संभव है कि अल-करख़ी का 'कब' और अंग्रेज़ी का Cube एक ही मूल से निकले हों।

अल-करख़ी ने वर्ग समीकरणों में से इस समीकरण

$$कय^2 + खय = ग$$

का यह मूल दिया है

$$य = \left[\sqrt{\left(\frac{ख}{२}\right)^2 + कग} - \frac{ख}{२}\right] : क$$

अल-करख़ी ने इस प्रकार के उच्च घात समीकरणों के हल भी निकाले हैं--

$$य^3 + र^3 = ल^2,$$

$$य^2 - र^2 = ल^3,$$

$$य^2 र^3 = ल^2,$$

$$य^2 - र^3 = ल^2,$$

$$य^3 + र^2 = ल^3 ।$$

अल-करख़ी ने एकघात और द्विघात अनिर्णीत समीकरणों का भी साधन किया था और उनके पूर्णांकीय और भिन्नात्मक हल निकाले थे। इसके अतिरिक्त उसने श्रेणियों का भी विवेचन किया था। प्राकृतिक संख्याओं संबंधी उसके दो सूत्र यहाँ दिये जाते हैं।

$$\sum_{१}^{१०} स^2 = (१+१०) . १० . \left(\frac{१०}{३} + \frac{१}{६}\right) = ३८५,$$

$$\sum_{१}^{१०} स^3 = \left(\sum_{१}^{१०} स\right)^2$$

उमर ख़य्याम

उमर ख़य्याम एक कवि, ज्यौतिषी, गणितज्ञ और दार्शनिक था। उसका जन्म नीशापुर के आस पास हुआ था और मृत्यु नीशापुर में ही सन् ११२३ में हुई। उक्त

स्थान पर उसकी एक सुन्दर क़ब्र बनी हुई है। उसका पूरा नाम 'घियातुद्दीन अब्दुलफ़तेह उमर बिन इब्राहीम अल-ख़य्यामी' था। 'ख़य्याम' का अर्थ है 'डेरा बनाने वाला'। उसके पिता का यही व्यवसाय था, कदाचित् इसीलिए वह इस नाम

नीशापुर में उमर ख़य्याम की कब्र।

[डोवर पब्लिकेशंस, इन्कॉर्पोरेटेड, न्यूयॉर्क–१०, की अनुज्ञा से, डी० स्ट्रुइक कृत 'ए कॉन्साइज़ हिस्ट्री ऑफ़ मॅथेमॅटिक्स' (१.७५ डालर) से प्रत्युत्पादित।]

से प्रसिद्ध हुआ। उसने बीजगणित पर एक ग्रन्थ लिखा जिससे उसकी ख्याति फैल गयी। १०७४ में सुल्तान मलिक शाह ने उसको बुला भेजा और उसे तिथिपत्र सुधारने का काम सौंप दिया। उसने ज्यौतिषीय सारणियों का संशोधित संस्करण निकाला और जलाली संवत् को जन्म दिया जो १५ मार्च १०७९ से आरम्भ होता है।

उमर ख़य्याम की ख्याति उसकी रुबाइयों से अधिक हुई और संसार उसे मुख्यतः कवि के रूप में ही जानता है। उसने रुबाइयों में ५०० मुक्तक काव्य लिखे हैं जिनका संसार की अनेक भाषाओं में अनुवाद हो चुका है।

$(क+ख)^{स}$ के प्रसार की विधि, जिसमें स कोई पूर्णांक है, पूर्व में पश्चिम की अपेक्षा बहुत पहले ज्ञात हो चुकी थी। यूक्लिड को उक्त सूत्र की विशिष्ट दशा स=२ का पता था, किन्तु स के अन्य मानों का सूत्र सर्व प्रथम उमर ख़य्याम ने ही दिया था। उसने एक स्थान पर लिखा है कि वह संख्याओं के चौथे, पाँचवें, छठे, ...मूल एक नियम के अनुसार निकालना जानता है। अपने बीजगणित में उसने उक्त नियम दिया नहीं है, किन्तु यह लिखा है कि वह नियम उसने एक अन्य पुस्तक में दिया है। उल्लिखित ग्रन्थ की कोई भी प्रति आज तक किसी के देखने में नहीं आयी है।

आधुनिक गणित में समीकरणों का वर्गीकरण घातों के अनुसार किया जाता है। उमर ख़य्याम का वर्गीकरण इससे भिन्न था, किन्तु वर्गीकरण का सबसे पहला व्यवस्थित प्रयास उसी ने किया था। उसने प्रथम तीन घातों के समीकरणों को दो वर्गों में बाँटा था—

(क) सरल (Simple)

(ख) संयुक्त (Compound).

सरल समीकरण वह इस प्रकार के समीकरणों को कहता है—

$ब=य,\ ब=य^{२},\ ब=य^{३},$

$कय=य^{२},\ कय=य^{३},\ कय^{२}=य^{३}$।

इस प्रकार समस्त द्विपद समीकरणों को उमर ख़य्याम 'सरल समीकरण' कहता है। त्रिपद और चतुष्पद समीकरणों को वह 'संयुक्त समीकरण' कहता है। त्रिपद समीकरणों में वह निम्नलिखित बारह प्रकार गिनाता है—

$य^{२}+खय=ग,\ य^{२}+ग=खय,\ खय+ग=य^{२}$;

$य^{३}+खय^{२}=गय,\ य^{३}+गय=खय^{२},\ गय+खय^{२}=य^{३}$;

$य^3 + गय = घ,\ य^3 + घ = गय,\ गय + घ = य^3$;

$य^3 + खय^2 = घ,\ य^3 + घ = खय^2,\ खय^2 + घ = य^3$ ।

चतुष्पद समीकरणों को उमर ख़य्याम पाँच वर्गों में विभाजित करता है—

$य^3 + खय^2 + गय = घ,\ य^3 + खय^2 + घ = गय,$

$य^3 + खय^2 = गय + घ,\ य^3 + गय = खय^2 + घ,$

$य^3 + घ = खय^2 + गय$ ।

अरब के गणितज्ञों की यह परिपाटी थी कि समीकरणों को भाषा के रूप में व्यक्त किया करते थे। उपरिलिखित समीकरण

$$य^3 + खय^2 = गय$$

को उमर ख़य्याम इस प्रकार लिखता था—

"एक घन और एक वर्ग, मूलों के बराबर है।"

इसी प्रकार समीकरण

$$य^3 + घ = खय^2 + गय$$

के लिखने का उसका ढंग यह था—

"एक घन और एक अन्य संख्या वर्गों और मूलों के बराबर है।"

वर्ग समीकरण

$$य^2 = पय + फ$$

को उमर ख़य्याम ने इस प्रकार हल किया था—

$फ = य^2 - पय = य(य - प)$

$= (य - \frac{1}{2}प)^2 - (\frac{1}{2}प)^2.$

$\therefore\ (य - \frac{1}{2}प)^2 = (\frac{1}{2}प)^2 + फ$ ।

वर्ग मूल लेकर दोनों ओर $\frac{1}{2}$ प जोड़ देने से य का मान प्राप्त हो जाता है।

उमर ख़य्याम का वर्ग समीकरण

$$य^2 + फ = पय$$

का हल इस सर्वसमिका (Identity) पर आधृत है—

$य(प - य) + (य - \frac{1}{2}प)^2 = (\frac{1}{2}प)^2.$

वर्ग समीकरण

$$य^2 + पय = फ$$

के मूल के लिए उमर ख़य्याम यह नियम देता है—

"मूल के आधे को अपने आप से गुणा करो। गुणनफल को संख्या में जोड़ दो। योग का वर्ग मूल लेकर मूल का आधा घटा दो। शेष ही वर्ग का मूल होगा।"

उपरिलिखित उद्धरण में 'मूल' का अर्थ ' मूल के गुणांक', 'संख्या' का अर्थ 'अचर पद' और 'वर्ग' का अर्थ 'वर्ग समीकरण' है। अतः इस सूत्र से

$$य=\sqrt{\tfrac{१}{४}प^{२}+फ}-\tfrac{१}{२}प।$$

इस विधि से उमर ख़य्याम ने भी इसी समीकरण

$$य^{२}+१० य = ३९$$

का साधन किया था जिसका अल-ख़्वारिज़्मी ने किया था।

स्पष्ट है कि उपरिलिखित विधि इस सर्वसमिका पर आधृत है—

$$य(प+य)=(य+\tfrac{१}{२}प)^{२}-(\tfrac{१}{२}प)^{२}.$$

इस प्रकार,

$$३९ = य(य+१०)=(य+५)^{२}-५^{२}.$$

$$\therefore\ (य+५)^{२}=३९+२५=६४.$$

$$अतः\ य+५=८.$$

$$\therefore\ य=३.$$

$\sqrt{६४}$ का ऋणात्मक मान लेने से दूसरा मूल प्राप्त होगा।

सन् ८६० में **अलमाहानी** ने निम्नलिखित घन समीकरण

$$य^{३}+क^{२}ख = गय^{२}$$

का अध्ययन किया। अलमाहानी के कार्य ने गणितीय जगत् को इतना आकृष्ट किया कि अरबी और ईरानी लेखकों में उपरिलिखित समीकरण का नाम 'अलमाहानी समीकरण' पड़ गया।

सन् ८७० के लगभग अलमाहानी के एक समकालीन लेखक ताबित इब्न-कोरा ने घन समीकरण की कुछ विशिष्ट दशाओं का साधन किया। उसकी विधि मुख्यतः ज्यामितीय थी।

सन् १००० के आस पास अरब के निवासी **अलहाज़िन** ने भी घन समीकरणों पर कार्य किया है। उसने उपरिलिखित समीकरण का हल एक **परवलय** (Parabola) और एक **अतिपरवलय** (Hyperbola) के कटान बिन्दु निकालकर किया, जिनके समीकरण इस प्रकार हैं—

$$य^2 = कर, \qquad \text{(परवलय)}$$

और $$र(ग—य) = कख \qquad \text{(अतिपरवलय)}$$

तत्पश्चात् उमर ख़य्याम ने अपनी लेखनी घन समीकरणों पर उठायी कहा जाता है कि एकबार उसने यह वक्तव्य दिया था कि घन समीकरण

$$य^3 + र^3 = ल^3$$

का धन पूर्णांकों में हल नहीं निकाला जा सकता। पता नहीं कि इस कथन में तथ्य कितना है क्योंकि उमर ख़य्याम की कृतियों में ऐसा वक्तव्य कहीं नहीं मिलता। किन्तु उमर ख़य्याम ने अन्य कई प्रकार के घन समीकरणों का साधन तो किया है। उसने निम्नलिखित समीकरण

$$य^3 + ख^2य = ख^2ग$$

का हल निम्नलिखित शांकवों (Conics) के कटान बिन्दु निकालकर किया—

$$य^2 = खर$$

और $$र^2 = य\ (ग—य)\ ।$$

इस प्रकार के समीकरणों

$$य^3 — कय^2 = ग^3$$

का हल उसने निम्नलिखित शांकवों के कटान बिन्दु निकालकर किया—

$$यर = ग^2$$

और $$र^2 = ग\ (य + क)\ ।$$

इसके अतिरिक्त इन शांकवों

$$र^2 = (य \pm क)(ग—य)$$

और $$य\ (ख \pm र) = खग$$

के कटान बिन्दु निकालकर उसने निम्नलिखित समीकरणों का साधन किया—

$$य^3 \pm कय^2 + ख^2य = ख^2ग\ ।$$

अन्य लेखक

अरबी लेखकों में इब्न अल-यास्मीन का नाम उल्लेखनीय है। इसका पूरा नाम 'अब्दुल्ला इब्न मुहम्मद इब्न हज्जाज, अबू मुहम्मद' था। यह मोरक्को का निवासी था और इसकी मृत्यु १२०३ और १२०५ के बीच हुई थी। इसकी प्रसिद्धि इसकी एक कविता 'अर्जूज़ा' से हुई जो इसने बीजगणित पर लिखी थी। उक्त रचना की कई हस्तलिपियाँ प्राप्य हैं और उसने बीजगणित को जनता में बहुत लोकप्रिय बना दिया।

एक अन्य लेखक अल तूसी का भी नाम लिया जा सकता है। इसका वास्तविक नाम 'अल मुज़फ्फ़र इब्न मुहम्मद इब्न अल-मुज़फ्फ़र शरफ़ उद्दीन अल तूसी' था। यह तूस का निवासी था और इसकी मृत्यु लगभग १२१३ में हुई थी। इसकी कृतियाँ ज्यामिति और बीजगणित पर हैं। इसने एक नक्षत्र-यन्त्र (Astrolabe) का भी आविष्कार किया था जो 'तूसी-दण्ड' के नाम से प्रसिद्ध हुआ।

(७) सोलहवीं और सत्रहवीं शताब्दियाँ

यूरोप

सोलहवीं शताब्दी के गणितज्ञों में प्रमुख नाम इटली के जिरोलेमो कार्डन (Girolamo Cardan) का आता है। इसका जीवन काल १५०१–१५७६ था। यह फेसियो कार्डेनो (Facio Cardano) का अवैध पुत्र था जो मिलन का एक क़ानून का विद्वान् था। कार्डन का जन्म पविया (Pavia) में हुआ था। इसने पविया और पडुआ में शिक्षा पायी और यह औषधि विज्ञान का स्नातक हो गया। किन्तु इसके अवैध जन्म के कारण मिलन के वैद्यक कालिज से इसका निष्कासन हो गया। १५३४ में यह ज्यामिति का अध्यापक हो गया। सन् १५४३ में यह पविया विश्वविद्यालय में औषधि विज्ञान का प्राध्यापक नियुक्त हो गया।

कार्डन ने बीजगणित और फलित **ज्यौतिष** (Astrology) पर जो पुस्तकें लिखीं उनसे उसकी ख्याति यूरोप भर में फैल गयी। जब वह अपनी प्रसिद्धि के शिखर पर पहुँचा तब उसके लड़के ने एक लड़की से विवाह कर लिया जो पति परायण नहीं निकली। उसके पति ने उसे विष दे दिया जिसके कारण उसे फाँसी पर चढ़ा दिया गया। इस घटना से कार्डन की कमर टूट गयी और उसकी ख्याति को भी बड़ा भारी धक्का लगा। उसे किसी अज्ञात अभियोग पर मिलन से निकाल दिया गया। सन् १५६२ में वह बोलोना (Bologna) में प्रोफेसर नियुक्त हो गया। सन् १५७० में वह पदच्युत कर दिया गया और बन्दी बनाकर रोम भेज दिया गया। उसके जीवन के अन्तिम वर्ष रोम में ही कटे। अन्त समय तक उसे पोप से पेंशन मिलती रही।

कार्डन के चरित्र के विषय में स्मिथ का यह पैरा उल्लेखनीय है जो उसने अपने गणित के इतिहास के प्रथम भाग के पृ० २९६ पर दिया है—

"कार्डन में परस्पर विरोधी गुणों का समावेश था। वह एक ज्यौतिषी भी था और **दर्शन** का गंभीर विद्यार्थी भी। वह एक जुआरी था, फिर भी एक उच्च कोटि का बीजगणितज्ञ था। वैद्यक में उसका निदान बड़ा सम्यक् था, तथापि

उसके कथन बड़े अविश्वसनीय होते थे। वैद्य होते हुए भी वह एक हत्यारे का प्रतिरक्षक था। एक समय वह बोलोना विश्वविद्यालय का प्राध्यापक था। किन्तु एक अन्य अवसर पर वह अनाथाश्रम का निवासी भी बन गया था। वह अन्ध-विश्वासी था, फिर भी मिलन के वैद्यक कालिज का कुलाचार्य (Rector) बन गया। वह एक उद्धर्मी (Heretic) था, जिसने ईसा की जन्मपत्री प्रकाशित करने का दुस्साहस किया। तथापि उसे पोप से पेंशन मिली। वह अतिवादी होते हुए भी प्रतिभाशाली था। तिस पर भी था वह बिलकुल सिद्धान्तहीन ।"

निकोलो टार्टॅग्लिया (Niccolo Tartaglia) भी इटली का ही एक गणितज्ञ था। इसका जन्म लगभग १५०६ में ब्रेस्किया (Brescia) में हुआ था और मृत्यु सन् १५५९ में। इसका बालपन दारुण दारिद्र्य में बीता। १५१२ में ब्रेस्किया के विध्वंस के समय फ्रांसीसी सिपाहियों के द्वारा इसके कई आघात लगे। व्रण तो धीरे धीरे ठीक हो गया, परन्तु इसकी जिह्वा पर कुछ प्रभाव रह गया जिसके कारण यह हकलाने लगा। इसीलिए इसका उपनाम 'टार्टॅग्लिया' पड़ गया, इटॅलियन भाषा में जिसका अर्थ 'हकलाने वाला' है। इसने स्वाध्याय द्वारा ही शिक्षा पायी। किन्तु फिर भी यह १५२१ में वेरोना (Verona) में गणित का एक प्रतिष्ठित अध्यापक हो गया।

टार्टॅग्लिया की पहली मुद्रित पुस्तक 'शातघ्निकी' (Gunnery) पर थी जो वेनिस (Venice) से १५३७ में प्रकाशित हुई। इसकी दूसरी पुस्तक एक प्रश्नोत्तरी के रूप में है जिसमें शातघ्निकी और संबद्ध विषयों के अतिरिक्त घन समीकरणों पर भी कुछ प्रश्न दिये गये हैं। इसने गणित पर भी एक ग्रन्थ लिखा है जिसमें व्यापार गणित के नियम दिये गये हैं। इसके अतिरिक्त उक्त ग्रन्थ में जन-जीवन और व्यापारियों के रीति-रिवाज का भी विवेचन किया गया है। इसकी दो अन्य कृतियाँ उल्लेखनीय हैं—

१. आर्किमेडीज़ के ग्रन्थों की टीका (१५४३)

२. यूक्लिड का अनुवाद, जो इटॅलियन भाषा में, उक्त लेखक के ग्रन्थ का, सबसे पहला अनुवाद था। (१५४३)

कार्डन और टार्टॅग्लिया की जीवनियाँ एक दूसरे में गुँथी हुई हैं। टार्टॅग्लिया ने लिखा है कि १५३० में जॉन डा सोइ (John da coi) ने, जो ब्रेस्किया में एक अध्यापक था, उसको चुनौती के रूप में निम्नलिखित दो समीकरण हल करने के लिए भेजे—

$$य^3 + ३य^2 = ५$$

और $$य^3 + ६य^2 + ८य = १०००.$$

टार्टॅग्लिया उस समय तो इन समीकरणों को हल नहीं कर सका। किन्तु १५३५ में उसने एक ऐसी विधि निकाल ली, जिससे वह निम्नलिखित प्रकार के किसी भी समीकरण का साधन कर सकता था—

$$य^3 + कय^2 = ग ।$$

सन् १५३५ में टार्टॅग्लिया का फ़्लोरिडो (Florido) से द्वन्द्व निश्चित हुआ। टार्टॅग्लिया जानता था कि फ़्लोरिडो ने इस प्रकार के समीकरण

$$य^3 + खय = ग$$

का हल निकाल लिया था। अतः उसने अथक परिश्रम किया और द्वन्द्व से कुछ ही समय पहले इस समीकरण का साधन करने में सफल हो गया। इस प्रकार उसकी जीत निश्चित हो गयी, क्योंकि वह जानता था कि वह फ़्लोरिडो के किसी भी प्रश्न का उत्तर दे सकेगा, किन्तु उसके पास ऐसे प्रश्न विद्यमान थे जो फ़्लोरिडो हल नहीं कर सकता था।

डासोइ ने टार्टॅग्लिया को लिखा कि वह अपने हल की विधि को प्रकाशित करके मैदान में आये। किन्तु टार्टॅग्लिया ने ऐसा करने से इनकार कर दिया। इस संबन्ध में कार्डन और टार्टॅग्लिया में भी कुछ पत्राचार हुआ और निश्चिय हुआ कि दोनों आपस में मिलकर बात कर लें। टार्टॅग्लिया ने इस आश्वासन पर कि कार्डन उसके रहस्य को गुप्त रखेगा, उसे अपने हल की विधि बता दी।

सन् १५०५ में कार्डन ने अपना ग्रन्थ अर्समॅग्ना (Arsmagna) प्रकाशित किया और उसमें घन समीकरण के हल की टार्टॅग्लिया की विधि भी छाप दी, जिसे गुप्त रखने का उसने वचन दिया था। टार्टॅग्लिया की विधि इस प्रकार है—

यदि $$य^3 + खय = ग$$

तो मान लो कि $ग = ष - स$ और $ख^3 = २७ षस$।

तो $$य = ष^{\frac{1}{3}} - स^{\frac{1}{3}}$$

क्योंकि $$\left(ष^{\frac{1}{3}} - स^{\frac{1}{3}}\right)^3 + ख\left(ष^{\frac{1}{3}} - स^{\frac{1}{3}}\right) = ष - स ।$$

कार्डन का कथन है कि उपरिलिखित घन समीकरण एक गणितज्ञ सीपियो दॅल फ़ॅरो (Scipio del ferro) ने सन् १५१५ के आसपास ही निकाल लिया था

और उसने उसका रहस्य अपने शिष्य फ्लोरिडो को बता दिया था। टार्टॅग्लिया भी इस बात को मानता है।

कार्डन ने अपनी अर्समॅग्ना में निम्नलिखित समीकरणों का साधन भी किया था—

$$य^3 = कय^2 + ग$$

और $$य^3 + कय^2 = ग।$$

पहले समीकरण में उसने $य = र + \frac{1}{3}क$ रखकर $य^3$ के पद को अन्तर्हित कर दिया। दूसरे समीकरण में उसने $य = र - \frac{1}{3}क$ प्रतिस्थापित किया।

कार्डन ने $य = \frac{\sqrt[3]{ग}}{र}$ रखकर इस समीकरण

$$य^3 + ग = कय^2$$

को भी हल किया। उसने $य^2$ के पद को लुप्त करने की यही विधि सार्विक घन समीकरण

$$य^3 + कय^2 + खय = ग$$

पर भी लगायी। समीकरण

$$य^3 + खय = ग$$

का हल उसने इस रूप में निकाला—

$$य = \sqrt[3]{\sqrt{\frac{ख^3}{२७} + \frac{ग^2}{४}} + \frac{ग}{२}} - \sqrt[3]{\sqrt{\frac{ख^3}{२७} + \frac{ग^2}{४}} - \frac{ग}{२}}।$$

इस प्रकार कार्डन ने ऐसी राशियों

$$\sqrt[3]{क + \sqrt{ख}}$$

का उपानयन किया जो यूक्लिड की राशि

$$\sqrt{क + \sqrt{ख}}$$

से भिन्न थीं।

इसमें सन्देह नहीं कि कार्डन में अद्भुत प्रतिभा थी। उसने घन समीकरण की अलघुकरणीय दशा (Irreducible case) पर भी विचार किया। इसके अतिरिक्त उसे इसका भी ज्ञान था कि किसी समीकरण के कितने मूल होते हैं और उसने एक प्रकार से **सम्मित फलनों** (Symmetric Functions) के सिद्धान्त की भी नींव डाली। उसने बीजगणित के अतिरिक्त अंकगणित, ज्यौतिष, भौतिकी

और अन्य कई विषयों पर भी पुस्तकें लिखी ह। किन्तु वह जितना प्रतिभाशाली था उतना ही बेइमान भी था। उसका एक शिष्य फ़ॅरारी (Ferrari) था, जिसने **चतुर्घात समीकरण** (Quartic Equation)

$$य^४+६य^२+३६ = ६०य$$

को घन समीकरण

$$र^३+१५र^२ + ३६र = ४५०$$

में परिणत करके उसका हल निकाला था। कार्डन ने उक्त हल भी अपनी 'अर्स-मॅग्ना' में छाप दिया। और विशेषता यह थी कि डासोइ ने कार्डन को भी एक समस्या हल करने के लिए दी थी, जिसमें उपरिलिखित चतुर्घात समीकरण का साधन करना पड़ता था। जब कार्डन से स्वयं यह कार्य सम्पन्न न हुआ तो उसने उक्त प्रश्न फ़ॅरारी को दे दिया। जब फ़ॅरारी ने उसे हल कर दिया तब कार्डन ने उसे अपने नाम से प्रकाशित कर दिया।

लोडोविको फ़ॅरारी (Lodovico Ferrari) का जन्म १५२२ में बोलोना में विपन्नावस्था में हुआ था। उसकी मृत्यु लगभग १५६० में हुई थी। १५ वर्ष की अवस्था में उसे कार्डन के घर में नौकरी मिल गयी। कार्डन ने देखा कि लड़का होनहार है। अतः पहले तो उसे अपना सचिव बनाया और बाद में शिष्य के रूप में स्वीकार कर लिया। किन्तु फ़ॅरारी मिज़ाज का बड़ा तेज़ था। अतः कार्डन से उसकी पटती नहीं थी। १८ वर्ष की अवस्था में उसने गुरु से संबन्ध तोड़ दिया और स्वयं अध्यापक हो गया। उसे पैसा भी प्राप्त हुआ और ख्याति भी। तत्पश्चात् वह बोलोना में प्राध्यापक हो गया। किन्तु एक वर्ष के अन्दर ही ३८ वर्ष की अल्पा-वस्था में उसका देहान्त हो गया। लोगों का अनुमान है कि उसकी बहिन ने उसे विष दे दिया था।

फ़ॅरारी ने चतुर्घात समीकरण

$$य^४+कय^३+खय^२+गय+घ = ०$$

के हल की जो विधि निकाली है वह इस प्रकार है—

पहले चतुर्घात समीकरण को इस समीकरण

$$य^४+पय^२+फय+ब = ०$$

में परिवर्तित कर लो।

अब इस समीकरण से हमें प्राप्त होगा

$$य^4+2पय^2+प^2 = पय^2 - फय - ब + प^2,$$

अथवा $(य^2+प)^2 = पय^2 - फय + प^2 - ब$ ।

अतः $(य^2+प+र)^2 = (प+2र)य^2 - फय + (प^2 - ब + 2पय + र^2)$ ।

अब र का मान इस प्रकार निर्धारित करो कि दक्षिण पक्ष एक पूर्ण वर्ग हो जाय, जिसके लिए आवश्यक अनुबन्ध

$$फ^2 = 4(प+2र)(प^2 - ब + 2पय + र^2)$$

है ।

यह एक घन समीकरण है । इसका साधन करते ही मौलिक समीकरण का हल निकल आता है ।

राफ़ेल बॉम्बॅली (Rafael Bombelli) बोलोना का निवासी था, जिसका जन्म लगभग १५३० में हुआ था । बॉम्बॅली के जीवन के विषय में कुछ भी पता नहीं है । उसकी बीजगणित की पुस्तक की भूमिका से यह अनुमान होता है कि वह एक इंजीनियर था । उक्त पुस्तक १५७२ में प्रकाशित हुई, जो इटली की सर्व प्रथम पुस्तक थी, जिस पर अलजेब्रा का नाम पड़ा था । सन् १५५० में उसने ज्यामिति पर एक पुस्तक लिखी । दोनों पुस्तकों में उसने **काल्पनिक सम्मिश्र राशियों** (Imaginary complex quantities) का उपानयन किया है । उक्त राशियों की सहायता से बॉम्बॅली ने घन समीकरण की अलघुकरणीय दशा का हल निकाला । उक्त हल में उसने यह सिद्ध किया है कि—

$$\sqrt[3]{52+\sqrt{0-2209}} = 4+\sqrt{0-1}.$$

इस प्रकार गणितीय जगत् को काल्पनिक राशियों का सर्व प्रथम परिचय घन-समीकरणों द्वारा मिला, और वह भी उस दशा में जबकि उक्त समीकरण के मूल वास्तविक होते थे । किन्तु आजकल काल्पनिक राशियों से विद्यार्थी की पहली मुठ-भेड़ वर्ग समीकरणों में होती है ।

बॉम्बॅली की पुस्तक बहुत लोकप्रिय सिद्ध हुई, और गणितीय जगत् में सम्मिश्र राशियों का जो डर बैठा हुआ था, वह जाता रहा ।

फ्रँसॉय वीटा (Francois Vieta) फ्रांस का एक गणितज्ञ था, जिसका स्थिति काल १५४०–१६०३ था । यह क़ानून का अध्ययन करके एक वकील बन गया । इसकी प्रसिद्धि बढ़ती गयी और १५८९ में यह संसद की परिषद् का सदस्य हो गया ।

वीटा के जीवन की एक घटना बड़ी रोचक है। स्पेन का राजा फ़िलिप द्वितीय दूसरे देशों को अपने संदेश एक सांकेतिक भाषा में भेजा करता था और उसे विश्वास था कि उसके संकेतों का अर्थ कोई अन्य व्यक्ति नहीं निकाल सकेगा। एक बार

फ़्रैंसॉय वीटा (१५४०–१६०३)

[डोवर पब्लिकेशंस, इन्कॉर्पोरेटेड न्यूयॉर्क—१०, की अनुज्ञा से डी स्ट्रुइक कृत 'ए कॉन्साइज़ हिस्ट्री ऑफ़ मॅथेमॅटिक्स (१.७५ डॉलर) से प्रत्युत्पादित।]

वीटा के हाथ में एक ऐसा संदेश पड़ गया, जिसमें ५०० से अधिक वर्ण थे। वीटा ने उसका अर्थ निकाल लिया। तत्पश्चात् इस प्रकार के जितने भी संदेश फ्रांसीसियों के हाथ में पड़ते थे, वीटा के पास भेज दिये जाते थे और वह सदैव उनका ठीक ठीक अर्थ निकाल दिया करता था। जब फ़िलिप द्वितीय को इस बात का पता चला कि फ्रांस में उसकी सांकेतिक भाषा का अर्थ निकाल लिया जाता है तो उसने पोप के पास शिकायत भेजी कि फ्रांस वाले उसके विरुद्ध जादू का प्रयोग कर रहे हैं।

वीटा को विज्ञान और अध्ययन से इतना प्रेम था कि वह जितने अभिपत्र (Papers) लिखा करता था, सबको अपने ही व्यय पर छपवा कर यूरोप के समस्त देशों में भेज दिया करता था।

वीटा को आधुनिक बीजगणित का जन्म दाता कहते हैं। वह उन लेखकों में से था जिन्होंने सर्व प्रथम बीजगणित में संख्याओं को निरूपित करने के लिए वर्णों का प्रयोग किया––ज्ञात राशियों के लिए व्यंजनों का और अज्ञात राशियों के लिए स्वरों का। समीकरण चिह्न को छोड़कर उसकी प्रायः समस्त संकेतलिपि वैसी ही है, जैसी आधुनिक बीजगणितीय पुस्तकों में प्रयुक्त होती है। वह अज्ञात राशि के वर्ग के लिए 'अक़' लिखा करता था, घन के लिए 'अक' और चतुर्थघात के लिए 'अक्क़'।

वीटा से पहले समीकरणों के हल के लिए ज्यामितीय विधि का प्रयोग हुआ करता था। वीटा ने वैश्लेषिक विधि को अपनाया। वह वर्ग समीकरण

$$य^२+कय+ख = ०$$

को इस प्रकार हल करता था––

$$य = ल+व$$

रखने से समीकरण का यह रूप हो जायगा––

$$ल^२+(२व+क)ल+(व^२+कव+ख) = ०.$$

अब व को इस प्रकार चुनो कि $२व+क = ०$, अर्थात् $व = -\frac{१}{२}क$।

तो $$ल^२-\frac{१}{४}(क^२-४ख) = ०.$$

अतएव $ल = \pm\frac{१}{२}\sqrt{क^२-४ख}$ ।

$\therefore\ य = ल+व = -\frac{१}{२}क \pm \frac{१}{२}\sqrt{क^२-४ख}$ ।

वीटा की धन समीकरण को हल करने की विधि यह थी––

समीकरण $य^३+पय^२+फय+ब = ०$

में $$य = र-\frac{१}{३}प$$

रखने से समीकरण इस रूप में आ जायगा--

$$र^{३}+३खर = २ग ।$$

अब $र = \frac{ख—ल^{२}}{ल}$ रखने से यह समीकरण प्राप्त हो जायगा--

$$ल^{६}+२गल^{३}—ख^{२}=०.$$

इस षष्ठघात समीकरण को वर्ग समीकरण की भाँति हल करके ल का मान निकाला जा सकता है। इस प्रकार 'र' का और फिर अन्त में 'य' का मान निकल आयेगा।

वीटा ने घन समीकरण के और भी कई हल दिये हैं, किन्तु यही हल सबसे सरल है।

वीटा ने चतुर्घात समीकरण का भी अध्ययन किया था। उसकी विधि इस प्रकार थी।

समीकरण $य^{४}+२छय^{२}+खय = ग$

को इस प्रकार लिखो-- $य^{४}+२छय^{२} = ग—खय$ ।

अब इस समीकरण के बायें पक्ष को पूर्ण वर्ग बनाकर आगे बढ़ो।

इस विधि में भी अन्त में हल एक घन समीकरण पर ही आधृत होता है।

वीटा ने इसकी विधि दी कि किसी सार्विक समीकरण के मूलों को किस प्रकार किसी दी हुई संख्या 'ट' से बढ़ाया अथवा घटाया जा सकता है। इसके अतिरिक्त उसने संख्यात्मक समीकरणों के मूलों के निकट मान निकालने की भी विधि बतायी।

वीटा ने किसी गुणोत्तर श्रेढ़ी का, जिसका सार्व अनुपात (Common ratio) १ से कम हो, योग निकालने का सूत्र भी दिया था।

क्रिस्टफ़ रूडोल्फ़ (Christoff Rudolff) एक जर्मन गणितज्ञ था। इसके जीवन के विषय में बहुत कम जानकारी प्राप्त हुई है। इसने १५२५ में एक बीजगणित लिखा जो इस विषय की जर्मनी से प्रकाशित हुई पहली महत्त्वपूर्ण पुस्तक थी। उक्त पुस्तक का नाम कॉस (Coss) था और उसने जर्मनी में बीजगणित को बहुत लोकप्रिय बना दिया। रूडोल्फ़ ने दो पुस्तकें और लिखी हैं जिनमें से दूसरी में प्रश्नों का संग्रह है। वह १५३० ई० में प्रकाशित हुई थी।

मूल चिह्न $\surd$ का प्रयोग सबसे पहले रूडोल्फ़ ने अपनी 'कॉस' में ही किया था। कुछ इतिहासज्ञों का अनुमान है कि यह चिह्न अंग्रेजी *r* का ही विकृत रूप है और रूडोल्फ़ ने इसलिए इसका प्रयोग किया था कि यह "*root*" का पहला

वर्ण है। सम्भव है कि यह अनुमान सत्य हो क्योंकि १४ वीं शताब्दी में और उसके पश्चात् भी बहुत दिन तक मल चिह्न इन रूपों में प्रयुक्त होता रहा––

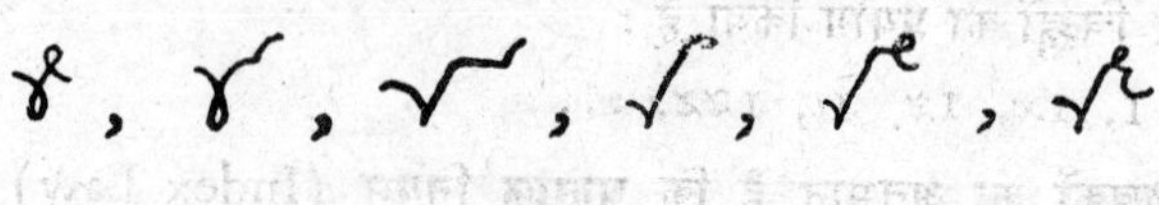

चित्र ३९—**बीजगणित के मूल चिह्न के विभिन्न रूप।**

रूडोल्फ़ ने घन समीकरणों में भी कुछ रुचि दिखायी थी। हम उसका दिया हुआ एक घन समीकरण का हल यहाँ देते हैं––

$य^{३} = १०य^{२} + २०य + ४८.$

हमें प्राप्त है––

$य^{३} + ८ = १०य^{२} + २०य + ५६$

अतः
$$य^{२} - २य + ४ = १०य + \frac{५६}{य+२}$$

यहाँ तक तो ठीक है। किन्तु इसके पश्चात् रूडोल्फ़ लिखता है कि
$$य^{२} - २य = १०य$$

और
$$४ = \frac{५६}{य+२}।$$

और इन समीकरणों से रूडोल्फ़ $य = ४$ निकाल लेता है।

आधुनिक गणित में इसको बिलकुल मन माना ढंग कहेंगे।

जर्मनी का एक अन्य प्रतिष्ठित गणितज्ञ माइकेल स्टाइफ़ैल (Michael Stifel) (१४८७–१५६७) था। इसकी शिक्षा ऐंस्लिग्टन (Esslington) में हुई थी। सच पूछिए तो यह धार्मिक व्यवसाय के लिए प्रशिक्षित किया गया था और उस क्षेत्र में इसने प्रगति भी दिखायी, किन्तु बचपन से ही इसे गणित का शौक़ था। इसने भविष्यवाणी की कि अमुक दिन संसार का लोप हो जायगा। जब वह दिन आया, इसने कुछ खेतिहरों को इकट्ठा किया और 'स्वर्ग' की ओर चल दिया। स्वर्ग तो यह नहीं पहुँचा, जेल के अन्दर अवश्य पहुँच गया। कुछ दिन जेल में रहने के पश्चात् यह छोड़ दिया गया।

स्टाइफ़ैल ने गणित पर पाँच पुस्तकें लिखी हैं जिनके विषय संख्याओं के गुणधर्म, अंकगणित और बीजगणित हैं। इसकी मुख्य पुस्तक रूडोल्फ़ के 'कॉस' का एक संस्क-

रण था जो इसने लगभग १५५३ में निकाला। इस पुस्तक से ही इसकी ख्याति बढ़ी। उक्त पुस्तक में इसने

$$x^0 \quad x^1 \quad x^2 \quad x^3 \quad x^4$$

के लिए इन चिह्नों का प्रयोग किया है :

I, Ix, Iz, Ic, Izz,.....

कुछ लेखकों का अनुमान है कि **घातांक नियम** (Index Law) के निम्नलिखित उदाहरण सबसे पहले स्टाइफ़ॅल ने ही दिये थे—

$$२^{३} . २^{४} = २^{७}, \qquad २^{४} . २^{३} = २^{७},$$

$$(२^{२})^{३} = २^{६}, \qquad (२^{४})^{\frac{१}{२}} = २^{२}.$$

स्टाइफ़ॅल ने केवल ये उदाहरण ही नहीं दिये हैं। उसने चारों मूलभूत घातांक नियमों को शब्दों में व्यक्त किया है। इसके अतिरिक्त उसने ऋण घातोंको पर भी विचार किया है।

१७वीं शताब्दी में पदार्पण करते ही पीयॅर फ़र्मा (Pierre Fermat) का नाम प्रमुख रूप से आता है। यह फ्रांस का एक गणितज्ञ था और इसका जीवन काल १६०१–६५ था। इसने संख्याओं के गुणधर्मों पर बहुत सा गवेषणा कार्य किया है। इसका कार्य संख्याओं के क्षेत्र में इतनी उच्च कोटि का था कि इसे आधुनिक संख्या सिद्धान्त का जन्मदाता कहा जाता है। डायफॅण्टस के पश्चात् संख्या सिद्धान्त का इतना महान् जानकार कोई नहीं हुआ था। यह प्रतिभाशाली तो था ही, कदाचित् कुछ सनकी भी था। तीस वर्ष की अवस्था तक तो इसने गणित पर ध्यान भी नहीं दिया था और इसका भी कारण समझ में नहीं आता कि इसने अपने गवेषणा कार्य के मुख्य फलों का विवरण अपने मित्रों को लिखे गये पत्रों में क्यों दिया है। इसने डायफॅण्टस के ग्रन्थ पर अपनी टिप्पणियाँ और पत्र लिखे हैं जो टीका के रूप में इसकी मृत्यु के पश्चात् इसके पुत्र ने १६७० में छापे। इसका संपूर्ण कार्य ऊव्रे (Ouvres) नाम से १८९१ में पेरिस से प्रकाशित हुआ, जिसमें उपरिलिखित टिप्पणियों के अतिरिक्त इसके पत्र भी समाविष्ट हैं, जो इसने दकारते (Descartes), पासकल (Pascal) और रूबर्वल (Roberval) इत्यादि को लिखे थे।

फ़र्मा ने लिखा है कि समीकरण

$$य^{स} + र^{स} = ल^{स}$$

का कोई पूर्णांक हल हो ही नहीं सकता, यदि स २ से बड़ा कोई भी पूर्णांक हो। यह

प्रमेय फ़र्मा प्रमेय के नाम से प्रसिद्ध है। फ़र्मा ने इस प्रमेय की कोई संतोषजनक उपपत्ति नहीं दी है। जो कुछ भी उलटे सीधे प्रमाण मिले हैं हाइगेन्स (Huygens) की एक हस्तलिपि द्वारा प्राप्त हुए हैं जो १८७९ में लीडॅन में मिली थी। फ़र्मा ने डायफॅण्टस की कृति की नक़ल पर पार्श्व में एक स्थान पर लिखा है कि "मैंने इस प्रमेय की एक सुन्दर उपपत्ति निकाली है। किन्तु उसे यहाँ देने के लिए स्थान बहुत थोड़ा है।"

यह प्रमेय आज विश्वविख्यात हो गया है और बहुधा लेखक इसे फ़र्मा का अन्तिम प्रमेय कहते हैं। फ़र्मा के समय से आज तक दसियों गणितज्ञों ने इस पर माथा पच्ची की है और कुछ विशिष्ट दशाओं में इसकी उपपत्तियाँ भी निकाली हैं। किन्तु सार्विक प्रमेय की सन्तोषजनक उपपत्ति आज तक कोई भी नहीं दे पाया है। उक्त गणितज्ञों में निम्नलिखित के नाम विशेष रूप से उल्लेखनीय हैं--

ऑयलर (Euler), लामे (Lame), कॉशी (Cauchy), कुमर (Kunmer), लेजाण्ड्र (Legendre), लेबेग (Lebesgue), डिक्सन (Dickson)।

संख्या सिद्धान्त पर अनेक लेखकों ने लेखनी उठायी है। इस संबन्ध में बॅशॅट (Bachet) का नाम उल्लेखनीय है। यह कुछ दिनों तक इटली में रहा और इसका विचार धार्मिक क्षेत्र में पदार्पण करने का था। किन्तु कुछ समय पश्चात् यह पेरिस चला गया और फ्रांस की विज्ञान परिषद् (Academie des Sciences) का सदस्य बन गया। इसने डायफॅण्टस का अनुवाद किया, जो १६२१ में प्रकाशित हुआ। इसकी सर्वोत्कृष्ट कृति गणितीय मनोरंजन पर थी, जो आजतक आदर की दृष्टि से देखी जाती है।

टामस हॅरियट (Thomas Harriot) का जीवन काल १५६०–१६२१ था। यह इंग्लॅण्ड का निवासी था और १५७९ में यह ऑक्सफोर्ड का स्नातक हो गया। यह सर वॉल्टर रॅले (Sir Walter Raleigh) का सहायक नियुक्त हुआ, जिसने १५८५ में इसे वर्जीनिया (Virginia) का सर्वेक्षण करने के लिए अमेरिका भेजा। इंग्लॅण्ड लौटने पर इसने अपनी यात्रा का वृत्तान्त (१५८८) प्रकाशित किया। इसने बीजगणित पर एक पाठ्य पुस्तक लिखी जो इसकी मृत्यु के दस वर्ष पश्चात् छपी। इसने अज्ञात् राशियों के लिए छोटे स्वरों और ज्ञात राशियों के लिए छोटे व्यंजनों का प्रयोग किया था। 'से बड़ा है' और 'से छोटा है' के लिए इसने ये चिह्न $>$, $<$ प्रयुक्त किये थे। इसके ग्रन्थ में निम्नलिखित प्रकरणों का समावेश है--

दिये हुए मूलों के समीकरण बनाना, मूलों की संख्या का नियम, मूलों और

गुणांकों का पारस्परिक संबन्ध, समीकरणों का रूपान्तर, संख्यात्मक समीकरणों का साधन।

जॉन नेपियर (John Napier) (१५५०–१६१७) स्कॉटलॅण्ड का एक गणितज्ञ और लघुगणकों (Logarithms) का आविष्कारक था। इसने १५६३ में मॅट्रिक परीक्षा पास की। तत्पश्चात् यह अध्ययन के लिए पेरिस चला गया और इसने इटली और जर्मनी में पर्यटन किया। लौटकर इसने विवाह किया। इसका एक लड़का था आर्चिबाल्ड (Archibald), जो बाद में लार्ड नेपियर कहलाया।

नेपियर ने स्कॉटलॅण्ड के धर्मशास्त्र के इतिहास पर एक पुस्तक लिखी, जिसका बड़ा आदर हुआ। तत्पश्चात् इसने युद्ध के बहुत से उपकरणों का आविष्कार किया।

१६१४ में इसकी पुस्तक डॅस्क्रिप्शियो (Descriptio) निकली, जिसमें इसने लघुगणकों के आविष्कार का विवरण दिया था। उक्त पुस्तक में पहली बार लघुगणकों की परिभाषा और एक लघुगणक सारणी भी दी गयी थी। पुस्तक ने छपते ही बड़े बड़े गणितज्ञों—राइट (Wright) ऑर ब्रिग्स (Briggs) का ध्यान आकृष्ट किया। राइट ने उसका अंग्रेजी में अनुवाद किया, जिसे उसकी मृत्यु के पश्चात् १६१६ में उसके पुत्र ने प्रकाशित किया।

जो लघुगुणक नेपियर ने आविष्कृत किये थ, वे वह नहीं हैं, जो आजकल दशमलव लघुगणक कहलाते हैं। मौलिक लघुगणकों का नेपियर और ब्रिग्स ने ही दशमलव लघुगणकों में परिवर्तन किया। इन दोनों ने मिलकर १६२४ में एक पुस्तक ऍरिथमॅटिका लॉगॅरिथमिका (Arithmetica Logarithmica) प्रकाशित की, जिसमें १–३०,००० और ८०,००० से १,००,००० तक की संख्याओं के लघुगणक दिये गये थे।

नेपियर ने १६१७ में एक अन्य पुस्तक रॅब्डॉलोजिया (Rabdologia) प्रकाशित की। इसमें गणक छड़ों (Numerating Rods) का उल्लेख किया है, जिनसे गुणन और भाजन में बड़ी सुविधा होती है। कुछ लेखकों का अनुमान है कि यही पुस्तक नेपियर की महत्तम कृति थी।

लघुगणकों के अतिरिक्त नेपियर को दशमलव भिन्नों और दशमलव बिन्दु पर भी बड़ा अधिकार था।

हॅनरी ब्रिग्स (Henry Briggs) (१५५६–१६३०) एक अंग्रेज गणितज्ञ था। १५८१ में यह केम्ब्रिज का स्नातक हुआ। १५९२ में रीडर (Reader) हो गया और १५९६ में लन्दन के एक कालिज में प्रोफेसर हो गया। इसने नेपियर से यह

प्रस्ताव किया कि लघुगणकों का आधार संख्या १० को बना दिया जाय। नेपियर इस प्रस्ताव से सहमत हो गया और तब दोनों ने मिलकर १६२४ में लघुगणक सारणी छापी, जिसका उल्लेख हम ऊपर कर चुके हैं। ब्रिग्स ने सब मिलाकर दस पुस्तकें

नेपियर (१५५०–१६१७)

[डोवर पब्लिकेशंस, इन्कॉर्पोरेटेड, न्यूयॉर्क—१०, की अनुज्ञा से, डी० स्ट्रुइक कृत 'ए कॉन्साइज़ हिस्ट्री ऑफ मॅथॅमॅटिक्स' (१·७५ डॉलर) से प्रत्युत्पादित।]

प्रकाशित कीं और छः अन्य पुस्तकें लिखीं, जो छप नहीं पायीं। प्रकाशित पुस्तकों के विषय यूक्लिड, लघुगणक, त्रिकोणमिति और नौवहन (Navigation) हैं।

विलियम आउट्रॅड (William Oughtred) (१५७४–१६१७) एक अंग्रेज़ गणितज्ञ था जिसने अंकगणित और बीजगणित पर एक छोटा सा ग्रन्थ लिखा। उक्त ग्रन्थ में कदाचित् पहली बार समानुपात चिह्न (Sign of proportion) (: :) और अन्तरचिह्न (Sign of difference) (~) का प्रयोग किया गया है।

आउट्रॅड ने एक पुस्तक लघुगणकों पर भी लिखी। किन्तु इसकी अधिक प्रसिद्धि सृपरेखक (Slide Rule) के कारण हुई।

ऐंड्मण्ड गण्टर (Edmund Gunter) एक अंग्रेज़ गणितज्ञ था जिसका जीवन काल १५८१–१६२६ था। इसने वॅस्टमिन्सटर (Westminster) स्कूल में शिक्षा पायी और १५९९ में यह ऑक्सफोर्ड के एक कालेज में भर्ती हुआ। १६१९ से अन्तकाल तक यह ग्रेशम कॉलिज (Gresham College) में ज्यौतिष का प्राध्यापक रहा। इसने सामान्य आधार पर आश्रित लघुगणकीय ज्याओ (Sines) और स्पज्याओं (Tangents) की पहली सारणी प्रकाशित की और अपने मित्र ब्रिग्स को सुझाव दिया कि लघुगणकों में अंकगणितीय पूरक (Arithmetical Compliment) का प्रयोग किया जाय। इसके व्यावहारिक आविष्कार ये हैं—

१. गण्टर श्रृंखला (Gunter Chain)—जो सर्वेक्षण में काम आती है।

२. गण्टर रेखा (Gunter Line)—जो सृपरेखक की अग्रगामिनी है।

३. गण्टर चरण (Gunter Quadrant)—जो वस्तुओं का उच्चत्व (Altitude) निकालने में प्रयुक्त होता है।

४. गण्टर मापिनी (Gunter Scale)—जिससे नौवहन में बड़ी सहायता मिलती है।

न्यूटन का नाम कौन नहीं जानता। लिब्नीज़ (Leibniz) ने एक बार कहा था कि यदि आदि काल से न्यूटन के समय तक के गणित का हिसाब लगाया जाय तो जो कार्य न्यूटन ने किया वह आधे से अधिक बठेगा। यह प्रशंसा अक्षरशः सत्य है।

न्यूटन इंग्लॅण्ड का एक प्राकृतिक दार्शनिक (Natural Philosopher) था जिसका स्थिति काल १६४२–१७२७ था। इसके पिता इसके जन्म से पहले ही मर चुके थे और जब यह तीन वर्ष का था तब इसकी माता ने दूसरा विवाह कर लिया। इसके बाद यह अपनी नानी के पास रहने लगा। किन्तु कुछ समय पश्चात् इसके सौतेले पिता का देहान्त होने पर इसकी माता अपने पुराने घर लौट आयी और यह भी फिर उसी के साथ रहने लगा।

दो वर्ष तक इसने एक व्याकरण के स्कूल में शिक्षा पायी और कोई प्रगति नहीं दिखायी। किन्तु एक दिन एक लड़के से इसकी लड़ाई हो गयी, जिससे इसका स्पर्द्धा भाव जाग्रत हो गया और शीघ्र ही यह स्कूल का नेता बन गया। जब न्यूटन १४ वर्ष का था, इसकी माता लौट आयी और उसने इसे स्कूल से हटा लिया। वह

आइज़क न्यूटन (Isaac Newton) (१६४२–१७२७)

[डोवर पब्लिकेशंस, इन्कॉर्पोरेटेड, न्यूयॉर्क—१०, की अनुज्ञा से, डी० स्ट्रुइक कृत 'ए कॉन्साइज़ हिस्ट्री ऑफ़ मॅथेमॅटिक्स' (१.७५ डॉलर) से प्रत्युत्पादित।]

चाहती थी कि उसका पुत्र उसके प्रक्षेत्र (Farm) पर काम करे। किन्तु न्यूटन का मन उस काम में नहीं लगता था। उसकी रुचि तो **यान्त्रिकी** (Mechanics), बढ़ईगीरी, कविता, और **उद्रेखण** (Drawing) में थी। अतः उसे फिर स्कूल भेज दिया गया। २३ वर्ष की अवस्था में वह केम्ब्रिज का स्नातक हो गया और २५ वर्ष की अवस्था में ट्रिनिटी कालेज का अधिसदस्य (Fellow) बना दिया गया।

१६६४–६५ में न्यूटन ने **द्विपद प्रमेय** (Binomial Theorem) और **अनन्त श्रेणी** (Infinite Series) पर कार्य आरंभ कर दिया। न्यूटन के कलन सम्बन्धी कार्य का उल्लेख तो हम आगे करेंगे, यहाँ हम उसके कार्य के अन्य पक्षों का विवरण देते हैं। दो क्षेत्रों में उसका कार्य बहुत उच्च कोटि का है—प्रकाश सिद्धान्त और गुरुत्व सिद्धान्त। न्यूटन के **गति नियम** (Laws of Motion) आज भी कालेज के विद्यार्थियों को पढ़ाये जाते हैं। और न्यूटन ने विश्व के आकार प्रकार के विषय में जो सिद्धान्त प्रतिपादित किये हैं, उन्हें आइन्सटाइन (Einstien) के अतिरिक्त कोई चुनौती नहीं दे पाया है। उक्त सिद्धान्त न्यूटन ने अपने महान् ग्रन्थ प्रिन्सीपिया (Principia) में दिये हैं जो १६८७ में प्रकाशित हुआ था।

उक्त ग्रन्थ से न्यूटन की ख्याति चारों ओर फैल गयी। विश्व की सृष्टि के संबंध में जो सिद्धान्त उसमें प्रतिपादित किये गये थे, दो सौ वर्ष तक सारे जगत् पर छाये रहे, और न्यूटन की यान्त्रिकी ने सैकड़ों वर्ष तक गणितज्ञों, ज्यौतिषियों और वैज्ञानिकों का पथ प्रदर्शन किया और आज भी कर रही है।

१६६९ में न्यूटन केम्ब्रिज में गणित का प्राध्यापक हो गया। लगभग ६० वर्ष तक उसे ख्याति और मान मिलता रहा और वह गणित और भौतिकी का अद्वितीय विद्वान् माना जाता रहा। १६७२ में वह रायल सोसायटी (Royal Society) का अधिसदस्य निर्वाचित हो गया। और १६८९ में इंग्लॅण्ड की संसद में भी विश्वविद्यालय का प्रतिनिधि बनकर पहुँच गया। १७०५ में उसे 'सर' की उपाधि मिली।

न्यूटन के 'विश्व अंकगणित' (Arithmetica Universalis) का विषय बीजगणित और समीकरण सिद्धान्त है। यह पुस्तक पहले पहल १६७३–८३ में व्याख्यानों के रूप में लिखी गयी थी। किन्तु इसका प्रकाशन १७०७ में हुआ। न्यूटन ने १६६९ में एक ग्रन्थ श्रेणियों पर भी लिखा था, किन्तु उसका प्रकाशन १७११ से पहले न हो सका।

१७२७ में न्यूटन रुग्ण हो गया। यों भी कुछ दिनों से उसका स्वास्थ्य गिरने लगा था। २० मार्च १७२७ को उसका देहान्त हो गया। न्यूटन के तीन चित्र रायल सोसाइटी में और कई ट्रिनिटी कालेज में हैं।

अन्य प्रतिभाशाली व्यक्तियों की भाँति न्यूटन में भी कुछ विलक्षणताएँ थीं। वह बहुधा भोजन करना भूल जाता था। एक बार वह भोजन करके बाहर जा रहा था कि उसे ध्यान आया कि वह कदाचित् भोजन करना भूल गया है। वहीं से लौट पड़ा। घर लौटकर आया तो देखा कि नौकरानी उसके भोजन के बरतन माँजने के लिए उठा चुकी है। तब उसे याद आ गया कि वह भोजन कर चुका था।

एक बार न्यूटन घोड़े पर जा रहा था। जब एक पहाड़ी आयी तब वह घोड़े से उतर पड़ा और लगाम हाथ में लेकर उसे ले जाने लगा। जब वह पहाड़ी के ऊपर पहुँच गया तो घोड़े पर फिर चढ़ने के लिए मुड़ा। देखा तो उसके हाथ में लगाम थी किन्तु घोड़े का कहीं पता न था।

एक बार न्यूटन ने कुछ मित्रों को भोजन पर बुलाया था। मेज़ पर मदिरा की कमी पड़ गयी तब वह मदिरा लेने के लिए तहख़ाने चला गया। उन दिनों निजी मकानों के पूजागृह तहख़ानों में ही हुआ करते थे। न्यूटन वहाँ पहुँचकर मदिरा की बात तो बिलकुल भूल गया और धार्मिक चोग़ा (Surplice) पहनकर पूजा करने लगा।

जॉन वॉलिस (१६१६–१७०३) एक अंग्रेज़ गणितज्ञ था। उसने केम्ब्रिज में शिक्षा पायी। शिक्षा तो उसे धार्मिक व्यवसाय की मिली थी, किन्तु उसकी रुचि गणित और भौतिकी में थी। १६४९ में वह ऑक्सफ़ोर्ड में ज्यामिति की गद्दी का आचार्य हो गया और अपनी मृत्यु तक उसी आसंदी पर विराजमान रहा।

वालिस ने बहुत से विषयों पर अपनी लेखनी उठायी है, जैसे यान्त्रिकी, ध्वनि-विज्ञान, ज्यौतिष, **ज्वारभाटे, दैहिकी** (Physiology), **संगीत, भौमिकी** (Geology) और **वानस्पतिकी** (Botany)। इसके अतिरिक्त वह सांकेतिक भाषा का भी **मर्मज्ञ** था। और राजनीतिक संदेशों का अर्थ निकालने में सरकार की सहायता किया करता था। उसकी दो पुस्तकें प्रसिद्ध हैं––

१. ऐरिथमेटिका इन्फ़िनिटोरम (Arithmetica Infinitorum) (१६५५)—जिसका विषय वक्रों का क्षेत्रकलन है।

२. ऐलजब्रा ट्रॅक्टेटस (Algebra Tractatus) (१६७३)––जिसका विषय बीजगणित है।

वॉलिस ने ही पहले पहल घातों की परिभाषा को व्यापक बनाकर उसमें भिन्नात्मक और ऋणात्मक संख्याओं का समावेश किया। इसके अतिरिक्त वालिस ने ही सर्व प्रथम काल्पनिक राशियों का लेखाचित्रीय निरूपण आरंभ किया।

एशिया

१६वीं और १७वीं शताब्दियों में भारत ने कोई विशेष प्रगति नहीं दिखायी। केवल दो गणितज्ञों के नाम उल्लेखनीय हैं––सूर्यदास और गणेश। सूर्यदास का जन्म १५०८ में हुआ था। इन्होंने भास्कर के बीजगणित पर एक टीका लिखी है, जिसका नाम 'सूर्यप्रकाश' है। एक टीका इन्होंने लीलावती पर भी लिखी है,

जिसमें लीलावती के कुछ श्लोकों के कई कई अर्थ दिये हैं। इनकी लेखनी से ही पता चलता है कि इन्होंने ये आठ ग्रन्थ प्रकाशित किये—लीलावती टीका, बीज टीका, श्रीपतिपद्धति गणित, बीजगणित, ताजिकालंकार, काव्यद्वय, बोधसुधाकर और सूर्यप्रकाश।

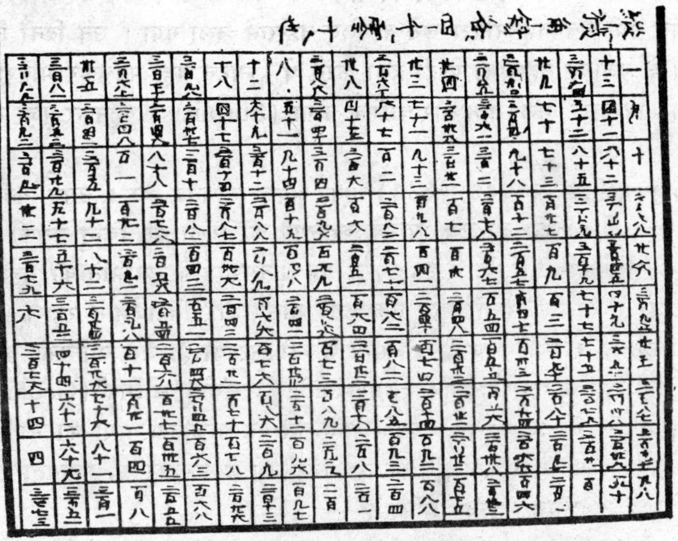

एक जापानी माया वर्ग।

जिन ऍण्ड कम्पनी की अनुज्ञा से, डेविड़ यूजीन स्मिथ कृत 'हिस्ट्री ऑफ़ मॅथॅमॅटिक्स' से प्रत्युत्पादित।

कोलब्रुक ने इनके एक अन्य ग्रन्थ गणितमालती का भी उल्लेख किया है।

सूर्यदास ने अपने बीजगणितीय ग्रन्थों में श्रीधर की विधियों पर टीका की है और अनिर्णीत समीकरणों का भी विवेचन किया है।

गणेश दैवज्ञ का जन्म भी १६वीं शताब्दी के आरंभ में ही हुआ था। इनके अधिकांश ग्रन्थ ज्यौतिष पर हैं। किन्तु दो टीकाएँ इन्होंने 'लीलावती' और 'सिद्धान्त शिरोमणि' पर भी लिखी हैं। ग्रह गणित पर देश भर में जितने ग्रन्थ इनके प्रचलित हैं उतने किसी अन्य ज्यौतिषी के नहीं हैं। शुद्ध गणित में इनका क्षेत्र भी वही था, जो सूर्यदास का, अर्थात् कुट्टक, अनिर्णीत समीकरण, **सुमेय त्रिभुज**, वृत्तीय (Cyclic) चतुर्भुज।

निम्नलिखित वृत्त मोज़ेई के ग्रन्थ 'मन्टोकू जिंकौ-की' (१६६५) से लिया गया है। केन्द्र को १ मानकर गिनने से किसी भी त्रिज्या की संख्याओं का जोड़ ५२४ अथवा ५२५ आता है।

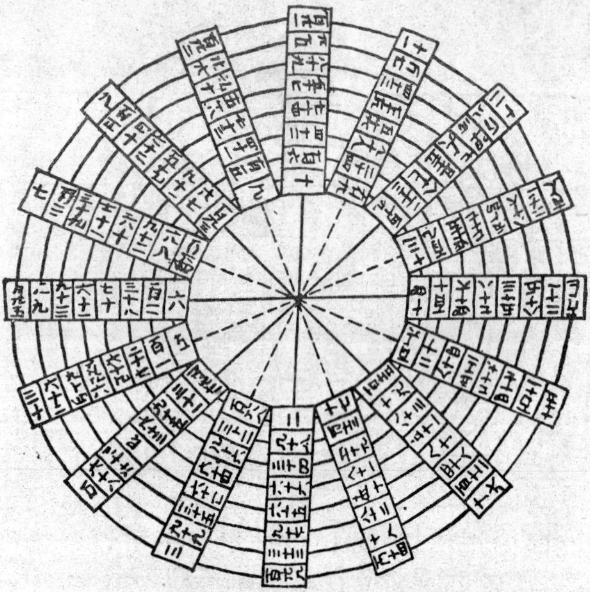

१२९ संख्याओं का एक जापानी माया वृत्त।

[जिन ऍण्ड कम्पनी की अनुज्ञा से डेविड् यूजीन स्मिथ कृत 'हिस्ट्री ऑफ़ मॅथॅमॅटिक्स से प्रत्युत्पादित।]

सत्रहवीं शताब्दी के एक जापानी गणितज्ञ सेकी कॉवा का नाम विशेष रूप से उल्लेखनीय है। इसका स्थिति काल १६४२–१७०८ था। पूत के पैर पालने में ही दिखाई पड़ने लगे थे और इसने बचपन में ही बिना किसी शिक्षक की सहायता के गणित की कई शाखाओं में, विशेषकर यान्त्रिकी में, योग्यता प्राप्त कर ली थी। इसने १६८३ में एक ग्रन्थ लिखा, जिसका नाम 'कई फूकू दई नो हॉ' था। उक्त ग्रन्थ में इसने सारणिकों (Determinants) का उपानयन किया है। किन्तु आश्चर्य है कि इसने सारणिकों से केवल विलोपन (Elimination) का काम ही लिया। उनका युगपत् समीकरणों (Simultaneous Equations) के

साधन में कोई प्रयोग नहीं किया। इसके अतिरिक्त इसने प्रस्तुत ग्रन्थ में उच्च घात समीकरणों का भी विवेचन किया है।

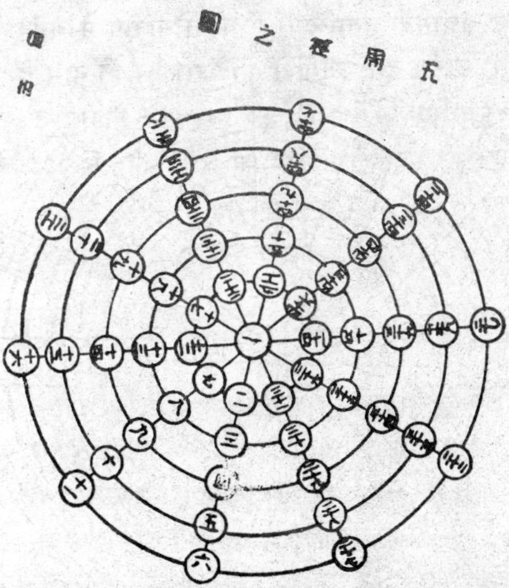

जापानी मायावर्ग का आधा भाग।

[जिन ऍण्ड कम्पनी की अनुज्ञा से, डेविड् यूजीन स्मिथ कृत 'हिस्ट्री ऑफ़ मॅथॅमॅटिक्स' से प्रत्युत्पादित।]

माया वर्ग का उपरिलिखित आधा भाग सनेनोबू के ग्रन्थ 'कॉ-को-जॅन शॉ' (१६७३) से लिया गया है।

सेकी का कार्य विशेष रूप से मौलिक न भी रहा हो, किन्तु इसमें संदेह नहीं कि इसकी ख्याति ने बहुत से विद्यार्थियों को इसके व्यक्तित्व और गणित की ओर आकृष्ट किया। कह सकते हैं कि इसकी शिक्षण शैली ने जापानी गणित में एक नयी जान डाल दी। इसकी मृत्यु के पश्चात् जापानी सम्राट् ने इसको जापान की सबसे ऊँची उपाधि दे दी। सेकी कॉवा ने माया वर्गों और सम्बद्ध विषयों में भी पर्याप्त रुचि दिखायी थी।

इस सम्बन्ध में १७वीं शताब्दी के दो अन्य जापानी गणितज्ञों के नाम भी उल्लेखनीय हैं—मुरामत्सू कुदायू मोज़ेई और होशीनो सनेनोबू।

(८) अठारहवीं-उन्नीसवीं शताब्दियाँ

यूरोप

अठारहवीं और उन्नीसवीं शताब्दियों में यों तो यूरोप में अनेक गणितज्ञ हुए हैं, किन्तु स्थानाभाव के कारण हम उनमें से थोड़े सों का ही नाम दे सकेंगे।

जॉन विल्सन (John Wilson) (१७४१–९३) इंग्लॅण्ड का एक गणितज्ञ था। इसने केवल एक ही महत्त्वपूर्ण प्रमेय का आविष्कार किया और उसी से इसका नाम अमर हो गया। वह प्रमेय इस प्रकार है—

यदि प कोई रूढ़ (Prime) संख्या हो तो

$$१+\underline{|प-१}$$

प से भाज्य होगी।

इस प्रमेय का संख्या सिद्धान्त में इतना महत्त्व है कि उक्त विषय की किसी भी मानक पुस्तक में इसका देना अनिवार्य है। इसे **विल्सन प्रमेय** कहते हैं। इसका आविष्कार लिब्नीज़ भी कर चुका था, किन्तु वह इसे प्रकाशित नहीं करा पाया था।

विल्सन १७८२ में रायल सोसायटी का अधिसदस्य बना लिया गया था।

विलियम जॉर्ज हॉर्नर (William George Horner) (१७८६–१८३७) भी एक अंग्रेज़ गणितज्ञ था। यह कोई बहुत बड़ा विद्वान् नहीं था। इसने संख्यात्मक समीकरणों के साधन की प्राचीन चीनी विधि का अध्ययन किया और उसे एक नया रूप दे दिया। इसका अभिपत्र १८१९ में रायल सोसायटी में पढ़ा गया और १८३८ और १८४३ में पुनःप्रकाशित हुआ। उक्त विधि आजतक **हॉर्नर विधि** कहलाती है।

पीटर बार्लो (Peter Barlow) (१७७६–१८६२) एक बहुत ही प्रतिभाशाली अंग्रेज़ गणितज्ञ था। १८२३ में यह रायल सोसायटी का अधिसदस्य हो गया और दो वर्ष पश्चात् इसे कोपले (Copley) पदक मिला। यों तो इसने प्रयोजित गणित पर भी कई ग्रन्थ लिखे, किन्तु इसकी दो पुस्तकें बहुत प्रसिद्ध हुईं, एक तो संख्या सिद्धान्त (१८११) पर और दूसरी एक गणितीय कोष (१८१४)।

जोज़ॅफ लूइ लॅग्रांज (Joseph Louis Lagrange) फ्रांस का एक बहुत बड़ा गणितज्ञ हुआ है जिसका स्थिति काल १७३६–१८१३ था। इसकी शिक्षा ट्यूरिन (Turin) कालिज में हुई। आरंभ में तो इसकी रुचि प्राचीन साहित्य में थी। किन्तु एक दिन इसके हाथ में हेली (Halley) का एक अभिपत्र पड़ गया। उसे

पढ़ते ही इसका मस्तिष्क बदल गया और यह गंभीरता से गणित का अध्ययन करने लगा। इसने शीघ्र ही इतनी योग्यता प्राप्त कर ली कि यह गणित का सबसे बड़ा

लॅग्रांज (१७३६–१८१३)

विद्वान् माना जाने लगा। यह १८ वर्ष की अवस्था में ही ज्यामिति का प्राध्यापक नियुक्त हो गया और २३ वर्ष की अवस्था में इसने दो अभिपत्र लिखे, जो इतनी उच्च-कोटि के थे कि उन्होंने ऑयलर और डिलेम्बर्ट (d' Alembert) जैसे गणितज्ञों को आकृष्ट कर लिया। उक्त दो अभिपत्रों से **'विचरण कलन'** (Calculus of Variations) की नींव पड़ी। उक्त दोनों गणितज्ञों की संस्तुति पर फ्रेडरिक महान् (Frederick the Great) ने इसे बर्लिन बुला लिया। फ्रेडरिक ने इसे जो पत्र

लिखा उसके शब्द ये थे—'यूरोप का सबसे महान् राजा यूरोप के सबसे महान् गणितज्ञ को अपने दरबार में बुलाता है।' लॅग्राज़ बर्लिन में २० वर्ष रहा और उसने बीजगणित, यान्त्रिकी और ज्यौतिष पर अनेक अभिपत्र लिखे। फ़्रेडरिक की मृत्यु के पश्चात् लुइ १६ (Louis XVI) के निमंत्रण पर यह पेरिस आ गया। १७९३ में यह माप तौल सुधार आयोग का अध्यक्ष नियुक्त हुआ और १७९७ में एक कालिज का प्राध्यापक हो गया।

लॅग्रांज की दो पुस्तकें प्रसिद्ध हैं—एक **खगोलीय यान्त्रिकी** (Celestial Mechanics) पर और दूसरी **वैश्लेषिक फलनों** (Analytical Functions) पर। बीजगणित संबन्धी इसका एक महत्त्वपूर्ण कार्य यह था कि इसने निम्नलिखित समीकरण का हल निकाला, जो फ़र्मा ने प्रस्तुत किया था—

$$\text{सय}^{२} + १ = \text{र}^{२},$$

जिसमें 'स' पूर्णांक है, किन्तु पूर्ण वर्ग नहीं है।

इसके अतिरिक्त लॅग्रांज का उच्च घात समीकरण सम्बन्धी कार्य भी प्रशंसनीय हुआ है।

एड्रियन मेरी लेजाण्ड्र (Adrien Marie Legendre) (१७५२–१८३३) एक फ्रांसीसी गणितज्ञ था। इसकी शिक्षा दीक्षा पेरिस में हुई थी। इसके अध्यापक आबे मेरी (Abbe Marie) ने १७७४ में यान्त्रिकी पर एक ग्रन्थ लिखा, जिसके कई लेख लेजाण्ड्र के लिखे हुए थे यद्यपि उसमें इसका नाम नहीं दिया गया था। शीघ्र ही यह पेरिस के एक कालेज में प्राध्यापक हो गया। १७८२ में इसे बर्लिन परिषद् से एक लेख के लिए पुरस्कार मिला। लेख का विषय था—'**प्रक्षेप्यों के पथ**' (Paths of Projectiles)। पत्पश्चात् यह कई वैज्ञानिक आयोगों का सदस्य रहा। इसके अन्तिम दिनों में सरकार ने यह प्रयत्न किया कि पेरिस परिषद् उसके संकेतों पर चले। इसने सरकार का विरोध किया। सरकार ने इसकी पेंशन ज़ब्त कर ली और इसका अन्त बड़ी ग़रीबी में हुआ।

यों तो लेजाण्ड्र ने गणित की कई शाखाओं में कार्य किया, किन्तु इसकी विशेष ख्याति इसकी दीर्घवृत्तीय फलनों (Elliptic Functions) संबन्धी गवेषणा से हुई। १८११–१६ तक इसकी पुस्तक 'समाकलन गणित पर प्रश्नावलियां' (Exereices de Calcul Integral) तीन भागों में छपी। तीसरे भाग में इसने दीर्घवृत्तीय समाकलों (Elliptic Integrals) की सारणियाँ दी हैं। १८२७ में इसका दीर्घवृत्तीय फलनों सम्बन्धी ग्रन्थ दो भागों में निकला। किन्तु उसके तुरन्त बाद दो युवक

गणितज्ञों ऑबॅल (Abel) और जॅकोबी (Jacobi) का उसी विषय का गवेषणा कार्य प्रकाशित हुआ। लेजाण्ड्र ने तुरन्त स्वीकार किया कि उन दोनों का कार्य उसके कार्य से उत्तम है और सन्तति ने आजतक उसकी सम्मति को ग़लत नहीं माना।

लेजाण्ड्र (१७५२–१८३३)

[डोवर पब्लिकेशंस, इन्कॉर्पोरेटॅड, न्यूयॉर्क--१०, की अनुज्ञा से, डी० स्ट्रुइक कृत 'ए कॉन्सॉइज़ हिस्ट्री ऑफ़ मॅथॅमॅटिक्स' (१.७५ डॉलर) से प्रत्युत्पादित।]

लेजाण्ड्र ने संख्या सिद्धान्त पर भी अद्‌भुत कार्य किया है। इसकी उक्त विषय की पुस्तक के १८०१–१८३० तक तीन संस्करण निकल गये। इसका एक फल

बहुत प्रसिद्ध हो गया है जिसका नाम **वर्गात्मक व्युत्क्रमता नियम** (Law of Quadratic Reciprocity) है। इसी नियम के विषय में गाउस (Gauss) ने कहा है कि यह अंकगणित का रत्न है।

गैलायस (१८११–३२)

[डोवर पब्लिकेशंस, इन्कॉर्पोरेटेड, न्यूयॉर्क--१० की अनुज्ञा से, डो० स्ट्रूइक कृत 'ए कॉन्सॉइज़ हिस्ट्री ऑफ़ मॅथॅमॅटिक्स' (१.७५ डॉलर) से प्रत्युत्पादित।]

लेजाण्ड्र की गवेषणा के अन्य विषय थे---आकर्षण, **भूमिति** (Geodesy) न्यूनतम वर्ग विधि (Method of Least Squares) और ज्यामिति।

गैलॉयस (Galois) (१८११–३२) एक बहुत ही प्रतिभाशाली फ्रांसीसी था, जिसने यौवनान्धता में ही अपनी जान दे दी। अपने राजनीतिक विचारों के कारण यह दो बार कारागार गया और २१ वर्ष की अवस्था में ही अपने से अधिक शक्तिशाली व्यक्ति से द्वन्द्व कर बैठा, जिसमें इसकी जान गयी। किन्तु बालपन के तीन चार वर्षों में ही इसने गवेषणा कार्य में अद्भुत प्रतिभा दिखा दी। इसका मुख्य कार्य उच्च घात बीजगणितीय समीकरणों और प्रतिस्थापन समुदायों (Substitution Groups) पर है।

लियोनार्ड ऑयलर (Leonhard Euler) (१७०७–१७८३) स्विट्ज़रलॅण्ड का एक महान् गणितज्ञ हुआ है। इसको प्रारंभिक शिक्षा इसके पिता जी ने ही दी थी, जो स्वयं एक गणितज्ञ थे। १७२३ में यह जॉन बर्नोली (Johann Bernoulli) के शिष्यत्व में स्नातक हुआ। तदनन्तर इसने धर्मशास्त्र, प्राच्यभाषाओं और औषधि विज्ञान का भी अध्ययन किया। १७२७ में यह पैट्रोग्राड में भौतिकी का और १७३० में गणित का प्राध्यापक हो गया। १७३५ में अत्यधिक कार्य के कारण इसकी एक आँख जाती रही। १७४१ में यह बर्लिन गया और २५ वर्ष तक वहीं रहा। १७६६ में यह फिर रूस लौट आया, किन्तु उसके कुछ ही दिनों पश्चात् इसकी बायीं आँख में मोतियाबिन्द हो गया और यह प्रायः नेत्रहीन हो गया। फिर भी इसने गवेषणा कार्य नहीं छोड़ा। इसके अभिपत्र इसके पुत्र लिखते रहे। अन्तिम सात वर्षों में इसने ७० अभिपत्र तैयार किये और यह मृत्यु के समय अधूरे रूप में २०० अभिपत्र और छोड़ गया।

ऑयलर ने गणित की बहुत सी शाखाओं पर कार्य किया है, जैसे ज्यौतिष, द्रवयान्त्रिकी (Hydro-mechanics), चाक्षुषी (Optics), किन्तु इसका सबसे अधिक कार्य शुद्ध गणित में हुआ है। आधुनिक वैश्लेषिक गणित के निर्माताओं में ऑयलर का स्थान बहुत ऊँचा है। १७४८ में 'अनन्त विश्लेषण' पर इसका ग्रन्थ निकला जिसके पहले भाग में बीजगणित, समीकरण मीमांसा, त्रिकोणमिति (Trigonometry) आदि विषय थे। उक्त पुस्तक में इसने 'फलनों के श्रेणी रूप में प्रसार', 'श्रेणियों का संकलन' आदि विषयों का विवेचन किया है। उस समय तक श्रेणियों के अभिसरण (Convergence) का भाव भी गणितज्ञों के मन में नहीं उगा था। एक स्थान पर ऑयलर ने स्वयं लिखा है कि—

$$१+य+य^२+\ldots\ldots = \frac{१}{१-य}।$$

अतः य = —१ रखने से हमें प्राप्त हैं —

$$१—१+१—१+\ldots=\frac{१}{२}$$

ऑयलर (१७०७–८३)

[डोवर ब्लिकेशंस, इन्कॉर्पोरेटेड, न्यूयॉर्क—१०, की अनुज्ञा से, डी० स्ट्रुइक कृत 'ए कॉन्साइज हिस्ट्री ऑफ मॅथेमॅटिक्स' (१.७५ डॉलर) से प्रत्युत्पादित।]

इस 'समीकरण' को आजकल हास्यास्पद माना जायगा। कुछ समय पश्चात् ऑयलर ने स्वयं कहा है कि हम अनन्त श्रेणियों का प्रयोग तभी कर सकते हैं जब

वह अभिसारी (Convergent) हों। कह सकते हैं कि ऑयलर अभिसरण के भाव का जन्मदाता था।

कुछ बीजगणितीय व्यंजक ऑयलर के नाम से ही विख्यात हैं जैसे—

$$\text{सी}_{\text{स}\to\infty}\left(१ + \frac{१}{२} + \frac{१}{३} + \ldots + \frac{१}{\text{स}} - \text{लघु स}\right)$$

का मान। ऑयलर ने इस व्यंजक का मान .५७७२१५६६४९०५३२८ दिया है। इस राशि को ऑयलर अचर (Euler Constant) कहते हैं। आधुनिक समय में तो ऐडम्स (Adams) ने इसका मान २६६ दशमलव स्थानों तक निकाला है।

ऑयलर की रुचि गणित और भौतिकी के अतिरिक्त और भी कई विषयों में थी, जैसे संगीत, रसायन, वानस्पतिकी, **औषधि-विज्ञान**। ऑयलर के अन्तिम दिन बड़े कष्ट में बीते। यह प्रायः अन्धा हो चुका था, इसका मकान जला दिया गया था और बहुत से कागज पत्र नष्ट हो चुके थे। फिर भी यह अपने कार्य में दत्तचित्त था और बहुत सा परिकलन मस्तिष्क में ही किया करता था।

ऑयलर के जीवन का एक उपाख्यान बड़ा रोचक है। डिडेरट (Diderot) एक नास्तिक था। ज़ारीना (Çzarina) उससे अप्रसन्न हो गयी थी और चाहती थी कि उसके विचार बदलने में ऑयलर उसकी सहायता करे। ऑयलर की सहमति मिलने पर रूसी दरबार में दोनों की भेंट का कार्यक्रम बनाया गया। डिडेरट से कहलाया गया कि एक महान् गणितज्ञ ने बीजगणितीय विधि से ईश्वर का अस्तित्व सिद्ध कर दिया है। ऑयलर जानता था कि डिडेरट बीजगणित से सर्वथा अनभिज्ञ है। अतः उससे भेंट होने पर ऑयलर ने कहा—

"महाशय,

$$\frac{\text{क}+\text{ख}^{\text{स}}}{\text{स}} = \text{य}।$$

अतः ईश्वर का अस्तित्व है।"

डिडेरट कुछ न समझ पाया और हक्का बक्का हो गया और दरबारी खिल-खिला कर हँस पड़े। उसने कहा कि उसे फ्रांस लौट जाने की अनुज्ञा दी जाय। अनुज्ञा मिल गयी और वह फ्रांस लौट गया।

नील्स हॅन्रिक ऑबॅल (Niels Henirck Abel) स्कॅण्डिनेविया का एक महान् गणितज्ञ हुआ है जिसने २७ वर्ष की अल्पायु में ही इतना काम कर दिखाया कि

हर्मिट (Hermite) को इसके विषय में कहना पड़ा कि "उसने इतना काम कर छोड़ा है कि गणितज्ञ उससे ५०० वर्ष तक व्यस्त रहेंगे।" इसका जीवन काल १८०२-१८२९ था। इसका जन्म एक निर्धन, किन्तु सुसंस्कृत परिवार में हुआ था। इसके पिता जी नॉर्वे (Norway) के एक गाँव के पादरी थे। ऑबॅल एक स्कूल में पढ़ता

ऑबॅल (१८०२–२९)

था कि एक दिन एक अध्यापक ने इसके एक सहपाठी को इतना मारा कि वह मर गया। इस घटना से ऑबॅल की चेतना जाग उठी और यह गणितज्ञों की कृतियां पढ़ने में दत्तचित्त हो गया। १८२० में इसके पिता का देहान्त हो गया और ६ भाई-बहिनों के लालन पालन का भार इसी के ऊपर आ पड़ा। किन्तु इसने कभी आशा नहीं त्यागी। यह विश्वविद्यालय में प्राध्यापक तो हो ही गया था। इसके अतिरिक्त निजी अध्यापन कार्य करके माँ और ६ भाई बहिनों का पेट पालता था। फ़ालतू समय में गवेषणा कार्य किया करता था।

सरकार की सहायता से ऑबॅल १८२५ में फ्रांस और जर्मनी गया। बर्लिन में यह ६ महीने रहा जहाँ इसकी क्रेले (Crelle) से मित्रता हो गयी। क्रेले उन्हीं दिनों अपनी प्रसिद्ध पत्रिका Crelle's Journal निकालने वाला था। बर्लिन

से ऑबॅल फ़ाइबर्ग गया जहाँ इसने दीर्घवृत्तीय फलनों पर गवेषणा कार्य किया जो जगत् प्रसिद्ध हो गया है। आर्थिक अभाव के कारण ऑबॅल को नॉर्वे लौट आना पड़ा। १८२९ में क्रेले ने इसको लिखा कि वह इसको बर्लिन के विश्वविद्यालय में प्राध्यापक का स्थान दिलाने में सफल हो गया है। किन्तु उक्त पत्र के पहुँचने से पहले ही ऑबॅल का स्वर्गवास हो चुका था।

ऑबॅल का प्रथम महत्त्वपूर्ण कार्य सार्विक पंच घात समीकरण के सम्बन्ध में था। उसके पूर्वगामियों ने ऐसे समीकरण पर बहुत परिश्रम किया था किन्तु कोई भी उसका हल नहीं निकाल सका था। ऑबॅल ने अपने विचार से उसका हल निकाल लिया था। उक्त हल जाँच के लिए डॅन्मार्क (Denmark) के सबसे बड़े गणितज्ञ के पास भेजा गया। किन्तु इसी बीच में ऑबॅल ने अपनी ग़लती पकड़ ली। उसका "हल" वास्तव में हल था ही नहीं। अब उसे यह सन्देह हुआ कि उक्त समीकरण का हल निकालना सम्भव भी है या नहीं। तब उसने यह सिद्ध कर दिया कि यह कार्य असम्भव है। हम उक्त कथन को ऑबेल के ही शब्दों में देते है।

स्कूल में विद्यार्थी सरल और वर्ग समीकरणों

$$\text{कय} + \text{ख} = ०, \qquad \text{कय}^{२} + \text{खय} + \text{ग} = ०$$

को हल करना सीखता है। कॉलिज में उसे निम्नलिखित त्रिघात और चतुर्घात समीकरणों

$$\text{कय}^{३} + \text{खय}^{२} + \text{गय} + \text{घ} = ०,$$

$$\text{कय}^{४} + \text{खय}^{३} + \text{गय}^{२} + \text{घय} + \text{च} = ०$$

के साधन की विधियाँ सिखायी जाती हैं।

वर्गात्मक समीकरण के हल इस प्रकार हैं—

$$\text{य} = \frac{-\text{ख} \pm \sqrt{\text{ख}^{२} - ४\,\text{कग}}}{२\text{क}}\,।$$

वर्ग समीकरण के मूल निकालने के लिए जोड़ने, घटाने, गुणा करने, भाग देने, वर्ग मल निकालने आदि की क्रियाएँ करनी पड़ती हैं। इसी प्रकार अन्य उपरिलिखित समीकरणों के साधन के लिए गुणांकों पर इसी ढंग की क्रियाएँ करनी होती हैं। और इन समस्त क्रियाओं की संख्या सान्त (Finite) रहती है। ऐसे हल को 'बीजगणितीय हल' (Algebraic Solution) कहते हैं। यदि उपरिलिखित क्रियाओं में से किसी भी क्रिया को अनन्त बार करना पड़े तो तत्सम्बन्धी हल को बीजगणितीय हल नहीं कहेंगे।

अब सार्विक पंचघात समीकरण

$$\text{कय}^{५}+\text{खय}^{४}+\text{गय}^{३}+\text{घय}^{२}+\text{चय}+\text{छ} = ०$$

पर विचार कीजिए। बहुत से गणितज्ञों ने इस समीकरण के बीजगणितीय हल निकालने का प्रयत्न किया और विफल रहे। ऑबॅल यह सिद्ध करने में सफल हो गया कि इस समीकरण का कोई बीजगणितीय हल सम्भव ही नहीं है।

अमेरिका

कह सकते हैं कि अमेरिका में वास्तविक गणितीय कार्य १९वीं शताब्दी में ही आरम्भ हुआ। उक्त शताब्दी में अमेरिका में कई गणितज्ञ उत्पन्न हुए। इनमें प्रमुख नाम बॅन्जॅमिन पियर्स (Benjamin Peirce) का आता है। इसका स्थिति काल १८०९–१८८० था। इसके पिता हार्वर्ड विश्वविद्यालय के पुस्तकाध्यक्ष और इतिहासज्ञ थे। यह १८२५ में हार्वर्ड का स्नातक हुआ और १८३१ में वहीं पर अध्यापक नियुक्त हो गया। लगभग ५० वर्ष तक यह उसी विश्वविद्यालय से सम्बद्ध रहा। पियर्स एक बहुत ही सफल अध्यापक था और शीघ्र ही इसकी ख्याति दूर दूर फैल गयी। यूरोप में इसको इतने मान प्राप्त हुए—

(१) रॉयल ऐस्ट्रोनॉमिकल सोसायटी का सहचरत्व,

(२) रॉयल सोसायटी की विदेशी सदस्यता,

(३) ब्रिटिश ऍसोसियेशन फॉर दि ऐड्वांसमॅण्ट ऑफ़ साइंस के संवाददाता का पद,

(४) ऍडिन्बरा की रॉयल सोसायटी की सम्मानित अधिसदस्यता।

पियर्स का अधिकांश कार्य प्रयोजित गणित पर है। शुद्ध गणित में इसकी प्रमुख गवेषणा **एकघात सहचरण बीजगणित** (Linear Associative Algebra) पर है। सब मिलाकर इसने ११ ग्रन्थ प्रकाशित किये हैं।

मॅक्सिम बोशर (Maxime Bocher) (१८६७–१९१८) का जन्म बोस्टन में हुआ था। इसने केम्ब्रिज लॅटिन स्कूल और हार्वर्ड कालिज में शिक्षा पायी और १८८८ में यह स्नातक हो गया। तत्पश्चात् यह अध्ययन के लिए गटिंगन गया जहाँ से इसने १८९१ में पीएच० डी० की उपाधि प्राप्त की। १९०४ में यह हार्वर्ड में ही प्राध्यापक नियुक्त हो गया। इसने वर्षों कई अमेरिकी गणितीय पत्रिकाओं का सम्पादन किया। इसका प्रमुख गवेषणा कार्य **अवकल समीकरणों** (Differential

Equations), श्रेणियों और उच्च बीजगणित पर है। इसकी दो पुस्तकें प्रसिद्ध हो गयी हैं—

(१) उच्च बीजगणित की भूमिका,

(२) समाकल समीकरणों (Integral Equations) के अध्ययन की भूमिका।

एशिया

१८ वीं और १९वीं शताब्दियों में भारत ने तो गणित में कोई प्रगति दिखायी ही नहीं। जापान १८ वीं शताब्दी के अन्त तक तो देशी कलन में ही उछल कूद मचाता रहा। उसका उल्लेख यथा-स्थान किया जायगा। तत्पश्चात् चीन की भांति वह भी पश्चिमी सभ्यता के चक्कर में फँस गया और दोनों देशों का गणित पश्चिमी साँचे में ढलने लगा। हम एक पिछले अध्याय में लिख आये हैं कि किस प्रकार चीन में ईसाई धर्म प्रचारकों का आविर्भाव हुआ जिन्होंने उक्त देश में पश्चिमी गणित की नींव डाली। कुछ दिन तक तो चीनियों ने पश्चिमी भावों और संस्कृति का आदर किया, किन्तु १८ वीं शताब्दी के अन्त में प्रतिक्रिया आरम्भ हो गयी और ईसाई प्रचारक सन्देह की दृष्टि से देखे जाने लग। देशी गणित का प्रचलन फिर बढ़ने लगा यद्यपि उसमें कोई विशेष प्रगति न हो पायी।

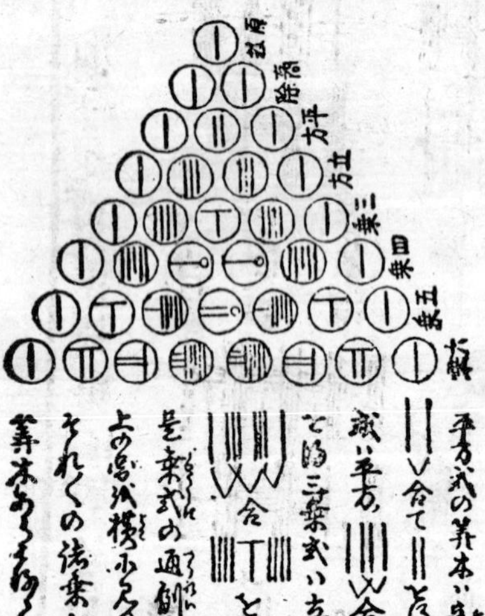

जापान का पास्कल त्रिभुज।

[जिन ऍण्ड कम्पनी की अनुज्ञा से, डेविड यूजीन स्मिथ कृत 'हिस्ट्री ऑफ मॅथॅमॅटिक्स' से प्रत्युत्पादित।]

पियर जार्टो (Pierre Jartoux) एक ईसाई धर्म प्रचारक था जो १७०० में चीन गया। इसका जीवन काल १६७०–१७२० था। इसने चीनियों को बीजगणितीय श्रेणियों का ज्ञान कराया। उसी समय के आस पास चीन में लघुगणकीय और अन्य प्रकार की सारणियाँ तैयार होने लगीं।

एक उल्लेखनीय चीनी गणितज्ञ हुआ है मुरई चज़ैन (Murai Chuzen) जिसने १७६५ में उच्च घात संख्यात्मक समीकरणों पर एक ग्रन्थ लिखा। उक्त ग्रन्थ

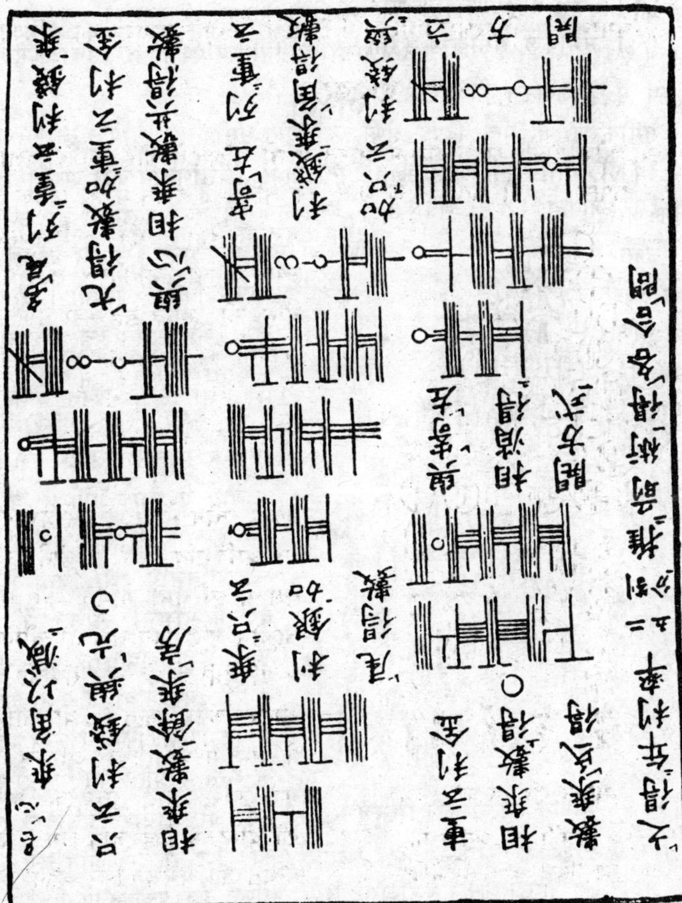

सङ्गयाँ सम्पाँ का एक पृष्ठ।

[जिन ऐंण्ड कम्पनी की अनुज्ञा से, डेविड यूजीन स्मिथ कृत 'हिस्ट्री ऑफ मैथमैटिक्स' से प्रत्युत्पादित।]

का नाम था 'कॅशो तेंम्पेई सम्पाँ'। १७८१ में इसने एक और ग्रन्थ 'सम्पाँ दाँशी

मन' लिखा जिसमें किसी द्विपद के प्रसार के गुणांकों के निरूपण के लिए पास्कल त्रिभुज (Pascal Triangle) का प्रयोग किया गया था।

हम पिछले एक अध्याय में सेकी कॉवा का उल्लेख कर चुके हैं। उसने बीजगणित की एक नयी प्रणाली निकाली थी जिसे 'तेन्ज़न बीजगणित' कहते हैं। ऐरिमा रॅडॉ (१७१४–१७८३) ने उक्त प्रणाली का विस्तार किया। उसकी कृति प्रश्नों के रूप में है जो इन विषयों से सम्बद्ध हैं—

समीकरणों के मूल, द्विपद श्रेणी, अनिर्णीत समीकरण, भूयिष्ठ और अल्पिष्ठ बिन्दु (Maxima and Minima Points), बीजगणित का ज्यामिति पर प्रयोग आदि।

उक्त समय के जापानी बीजगणित में एक ही नाम और उल्लेखनीय है—हण्डा टईकॅन (१७३४–१८०९)। इसका अधिक प्रसिद्ध नाम फ़ू जिता सदासुक था। इसने गणित पर कई पुस्तकें लिखीं जिनमें से इसका बीजगणित, जिसका नाम 'सइयाँ सम्पाँ' था, प्रसिद्ध हो गया है। इसमें कोई विशेष मौलिकता तो नहीं थी, किन्तु यह अध्यापन कार्य में बहुत कुशल था।

इसमें चीनी संख्याकों के गुम्फाक्षर (Monogram) रूप दिये गये हैं।